Jules Roy

Passion et mort de Saint-Exupéry

Préface
de Jean-Claude BRISVILLE

JULLIARD

17e mille

PASSION ET MORT DE SAINT-EXUPÉRY

ŒUVRES DE JULES ROY

Récits

CIEL ET TERRE, 1943 (épuisé).
LA VALLÉE HEUREUSE, 1946.
LA BATAILLE DANS LA RIZIÈRE, 1953.
LE NAVIGATEUR, 1954.
LA FEMME INFIDÈLE, 1955.
LES FLAMMES DE L'ÉTÉ, 1956.
LES BELLES CROISADES, 1959.
LA GUERRE D'ALGÉRIE, 1960.
LA BATAILLE DE DIEN BIEN PHU, 1963.

Poèmes

CHANTS ET PRIÈRES POUR LES PILOTES, 1943.
SEPT POÈMES DE TÉNÈBRES (hors commerce), 1957.

Essais

COMME UN MAUVAIS ANGE, 1947.
LE MÉTIER DES ARMES, 1948.
PASSION DE SAINT-EXUPÉRY, 1951.
L'HOMME A L'ÉPÉE, 1957.
AUTOUR DU DRAME, 1961.
PASSION ET MORT DE SAINT-EXUPÉRY, 1964.

Théâtre

BEAU SANG, *suivi d'une note sur* LES CHEVALIERS DU TEMPLE, 1952.
LES CYCLONES, 1953.
LE FLEUVE ROUGE, 1957.

Journal

RETOUR DE L'ENFER, 1951.

Conte

L'ŒIL DE LOUP DU ROI DE PHARAN (hors commerce), 1945.

JULES ROY

PASSION ET MORT DE SAINT-EXUPÉRY

PRÉFACE DE JEAN-CLAUDE BRISVILLE

RENÉ JULLIARD
30 et 34, rue de l'Université
PARIS

IL A ÉTÉ TIRÉ DE CET OUVRAGE SUR PUR FIL DU MARAIS TRENTE EXEMPLAIRES NUMÉROTÉS DE 1 A 30, PLUS QUELQUES EXEMPLAIRES D'AUTEUR.

à Albert Camus

Tu es dans l'erreur, toi qui penses que l'homme, lorsqu'il est de quelque utilité à ses semblables, doit calculer les chances de la vie ou de la mort.

PLATON, *Apologie de Socrate*.

Il est une façon de mourir qui n'a pas aujourd'hui bonne presse, et nos contemporains se passionnent beaucoup plus pour la vocation du suicidé que pour le destin du héros. Méfiance qui peut se justifier. Une certaine idée de la gloire a fait trop de victimes pour que les survivants n'y regardent pas à deux fois. Mais ce n'est pas une raison pour jeter Saint-Exupéry aux boy-scouts. C'est d'un homme assez grand pour se passer de sa légende dont Jules Roy nous entretient ici.

« Oui, nous avons cru qu'il était immortel, et maintenant la terre semble de

plus en plus vide de lui.» Ces mots du cœur, combien de ceux qui n'ont pas eu le privilège, comme Jules Roy, de connaître Saint-Exupéry ont eu pourtant envie de les dire en le lisant ou en évoquant l'homme? Non que ses livres nous aient toujours beaucoup appris. Saint-Exupéry n'était pas un philosophe, et c'est souvent par la gaucherie même de sa démarche, par l'accord intime et profond entre ce grand corps lourd et cette pensée maladroite, que nous sommes émus et instruits. La jonglerie des mots, les idées battues et rebattues comme des cartes... nous connaissons cela, nous ne connaissons même que cela. Si bien qu'au moment de parler d'engagement, on hésite, après l'usage qu'on a fait du terme. Mais il n'est pas besoin de recourir à lui pour parler simplement d'un homme dont l'œuvre s'enracine, sans problème, au meilleur de la vie. Engagé, Saint-Exupéry l'était en effet par son métier et sa vie dangereuse. De l'action à la parole, de l'expérience vécue à son expression littéraire, un échange constant, une authentification réciproque, et jamais le désir étroit de s'explorer, mais toujours le besoin généreux de dire aux hommes les mots qui peuvent les aider à vivre. La satisfaction d'être cru sur parole qui hante tous les écrivains, combien sont prêts à l'acheter au péril de leur vie ? Celle de Saint-Exupéry, exposée tant de fois et donnée à la fin, nous garantit la vérité de l'homme.

Ici encore, il faut revenir au métier et à ce que l'œuvre lui doit. Responsable, le penseur professionnel proclame volontiers qu'il l'est, de son fauteuil. Que risque-t-il ? Les mots lui obéissent, et au moment critique, ils sauront le dédouaner. Mais la machine est moins accommodante que le langage. Avec elle on ne triche pas. Chaque geste est vital, et un oubli, une imprudence ont sur-le-champ leurs conséquences. Cette responsabilité de chaque instant que lui avait appris son métier de pilote, on la retrouve chez Saint-Exupéry au niveau du message. Qu'il parle du sens de la vie, de la nécessité du sacrifice, de l'acceptation de la mort, c'est en connaissance de cause et si on a le droit de n'être pas toujours d'accord avec lui, on ne peut pas le mettre en contradiction avec lui-

même. Pour une fois, un écrivain accepte d'être pris au mot. « ... l'autre jour, j'ai eu la panne d'un moteur, à dix mille mètres d'altitude, au-dessus d'Annecy, à l'heure même où j'avais quarante-quatre ans ! Tandis que je ramais sur les Alpes, à vitesse de tortue, à la merci de toute la chasse allemande, je rigolais doucement en songeant aux super-patriotes qui interdisent mes livres en Afrique du Nord. C'est drôle. » Et il ajoute tristement : « Si je suis descendu, je ne regretterai absolument rien. La termitière future m'épouvante et je hais leur vertu de robots. Moi, j'étais fait pour être jardinier. »

Après avoir écrit ces lignes à Pierre Dalloz, les dernières que nous ayons de lui, Saint-Exupéry monta dans le Lightning n° 223, au matin du 31 juillet 1944. Jules Roy raconte ici en détail les heures qui précédèrent ce dernier envol. Et des détails sur ce moment, il semble que jamais nous n'en aurons assez. Un homme va mourir, nous le savons et il l'ignore. Ce qu'il vit en pensant au lendemain, avec les yeux, le sourire de tous les jours, est pour nous le dernier chapitre. Comment ne pas le lire, le cœur étreint ? Il aurait peut-être suffi d'un retard, d'un grain de sable... Mais Saint-Exupéry a surgi au dernier instant, le capitaine Siegler qui s'apprêtait à partir à sa place s'en fut se recoucher et le Lightning 223 emmena l'homme qui devait s'en aller, ce matin-là. Le ciel qu'il nous avait ouvert se referma sur lui. Et ce fut désormais comme si cette terre n'avait jamais revu son corps.

Que cet essai, dédié à Albert Camus, soit signé de Jules Roy — que ces noms se retrouvent sur ce livre avec celui de Saint-Exupéry — est significatif. « Je crois à la chevalerie, écrit Jules Roy. J'y croirai tant qu'il y aura des hommes et des guerres. Tant qu'il y aura, du moins, des guerres qui permettront aux hommes l'exercice de la chevalerie. » Que Saint-Exupéry soit représentatif, entre tous, de cette race d'hommes, qui le contestera ? Accordant leur courage à leur intelligence, trouvant leur liberté dans l'accomplissement de leur vocation, ils ne se battent pas par plaisir ou dans la haine, ni même pour sauver un bien précis, mais peut-être une certaine lumière, « certain arrangement des choses » — en somme, des nuances. Mourir pour des nuances, il faut être en effet un chevalier pour y songer sans rire.

Jean-Claude BRISVILLE.

PASSION DE SAINT-EXUPÉRY[1]

1. Écrit en 1950.

JE ne crois pas qu'il soit possible de parler de ses amis morts autrement qu'à soi-même, lorsque la solitude les rapproche de nous. « Il est aussi difficile d'être à l'aise avec eux qu'avec un camarade devenu officier après avoir servi avec vous comme simple soldat », a écrit M. Arthur Koestler à propos de Richard Hillary dans une étude à laquelle je reviendrai. Pour juger quelqu'un, il faut être détaché de lui, placer entre lui et soi-même l'épreuve d'un espace qui n'existe pas encore entre l'auteur de *Terre des Hommes* et nous, et fermer son cœur à

tout ce qui demeure sa présence rée.
Voilà six ans déjà que Saint-Exupéry
disparu, et il nous manque de plus en
plus. Oui, nous avons cru qu'il était
immortel, et maintenant la terre semble
de plus en plus vide de lui. Jusqu'à la
fin de notre vie, nous irons à travers ses
livres comme des pèlerins d'Emmaüs,
et un étranger que nous n'aurons pas
reconnu nous interrogera pour nous demander les raisons de notre tristesse.

Et pourtant, Saint-Exupéry n'était pas
mon ami. Non que je ne l'aimasse point,
mais à peine rencontré (je l'ai vu cinq
fois), je le quittais presque aussitôt, sans
qu'il ait eu le temps de me rendre ce que
je lui offrais sans le lui dire. Car l'amitié
exige la réciprocité, et comment pouvais-je à l'époque tenter avec succès de
retenir son attention à l'égard du passant
que j'étais ? Ce n'étaient pas les importuns qui manquaient, et ce n'étaient pas
eux qui hésitaient à l'entreprendre. Non,
Saint-Exupéry n'était pas mon ami, et
je n'osais pas hâter l'heure où il le fût
devenu. Et pourtant, je parle de lui
comme d'un ami ; j'éprouve la plus grande

peine à dépasser la pudeur qui tente de me retenir et que je n'eusse certainement pas surmontée si les liens d'une amitié profonde m'eussent uni à lui. Tant de gens parlent de lui. tant de gens découvrent à présent que Saint-Exupéry était leur ami, qu'il est gênant, je le confesse, de paraître aujourd'hui grossir leur nombre.

De Saint-Exupéry, en effet, on a tout dit. On a célébré l'homme et l'écrivain. On a montré quelle soif il avait des camarades, auxquels il raccrochait la vraie grandeur, l'estime de soi-même, la fidélité à soi-même, à travers toutes les valeurs qu'on ne peut perdre sans se perdre en même temps. On a chanté le poète, le philosophe, l'extraordinaire machine à penser qu'il était. On l'a décrit, avec raison, comme l'encyclopédiste de notre siècle, le savant et le mathématicien qui rappelait Pascal et Léonard de Vinci, et qui pouvait dessiner un système de trait pour chameaux aussi bien qu'inventer un nouveau mode de propulsion dans la locomotion aérienne ou de nouveaux instruments de navigation, de repérage ou de radio.

A embrasser cette vie nourrie de la substance de la plus riche aventure, nous glissons tout naturellement vers l'illusion de la croire en même temps facile. C'est que Saint-Exupéry est maintenant hors d'atteinte. C'est que, encore qu'elle ne le soit pas sur l'écrivain, l'unanimité des esprits s'est accomplie sur l'homme qui, du royaume où il s'est établi, ne peut plus gêner personne. Nous oublions que nous vivons parmi les loups, dans des forêts où la naïveté, la pureté et l'innocence ne sont pas considérées comme des vertus. Nous gardons de l'auteur de *Terre des Hommes* la forme définitive du marbre qu'il était dans les dernières années de sa vie, lorsqu'il avait conquis l'amitié et la chaleur du plus grand nombre. Mais de même qu'il se trouve encore des esprits rebelles à toutes les œuvres qui célèbrent l'héroïsme, et qui n'ont que mépris pour celle-là, les envieux et les méchants n'ont pas manqué qui ont fabriqué une grave épreuve pour Saint-Exupéry à mi-chemin de sa carrière. Eh bien, ne détournons pas notre regard de ce qui rend justement cette vie exemplaire. Il faudrait s'attrister si Saint-Exupéry était parti en nous laissant orphelins, avec le secret héritage de ses paroles et de ses gestes. Pour notre chance, il nous reste son œuvre. Et son œuvre vit et s'étend, et, peu à peu, elle couvre la terre de sa puissance.

Admirons son style ailé, mais pour nous répéter qu'il est fait d'une dizaine de versions de plus en plus dépouillées, et non pas coulant sans effort d'une plume abondante. Admirons aussi cet homme si pur et si fort que nous plaçons parmi les Trônes et les Dominations, mais n'oublions pas ce garçon aux vêtements élimés que le Prix Fémina, décerné à *Vol de nuit* en 1931, n'avait réussi à libérer des embarras, de la gêne, et de la mésestime. On eût dit même que le succès d'un livre qui chantait ses camarades, la noblesse et la beauté de leur métier, avait été considéré par eux comme une trahison. Ils parlaient de son auteur avec froideur et peut-être même avec mépris ; ils expulsaient, en quelque sorte, de leur communauté, l'homme qui venait de conquérir une célébrité qui rejaillissait sur eux-mêmes. Pourquoi ne pas l'avouer ? Pendant longtemps, en quels termes ai-je entendu parler de Saint-Exupéry parmi les siens ? Le chef d'escale de Juby qui risquait sa vie pour sauver ses camarades, le défricheur des lignes de Patagonie, le pilote de raid qui manquait plusieurs fois de se tuer pour la simple gloire de l'aviation française, n'était qu'un « littérateur » et un « amateur ». Il faut, pour comprendre la peine qu'en éprouva Saint-Exupéry, lire attentivement le document qu'est cette lettre maladroite qu'il écrivait timidement (en 1932, probablement) à son ami Guillaumet [1] :

Guillaumet, il paraît que tu arrives, et j'en ai le cœur un peu battant. Si tu savais quelle terrible vie j'ai menée depuis ton départ, et quel immense dégoût de la vie j'ai peu à peu appris à ressentir ! Parce que j'avais écrit ce malheureux livre, j'ai été condamné à la misère et à l'inimitié de mes camarades. Mermoz te dira quelle

1. *La vie de Saint-Exupéry* (éd. du Seuil). 1948.

réputation ceux qui ne m'ont pas vu et que j'aimais tant m'ont peu à peu faite. On te dira combien je suis prétentieux ! Et pas un, de Toulouse à Dakar, qui en doute. Un de mes plus graves soucis a été aussi ma dette, mais je n'ai même pas toujours pu payer mon gaz et je vis sur mes vieux vêtements d'il y a trois ans.

Pourtant, tu arrives peut-être au moment où le vent tourne, et je vais peut-être pouvoir me libérer de mon remords. Mes désillusions répétées, cette injustice de la légende m'ont empêché de t'écrire. Peut-être toi aussi croyais-tu que j'avais changé. Et je ne pouvais pas me résoudre à me justifier devant le seul homme peut-être que je considère comme un frère. Jusqu'à Étienne, que je n'avais pourtant jamais revu depuis l'Amérique et qui, malgré qu'il ne m'avait pas revu, a raconté ici, à des amis à moi, que j'étais devenu poseur !

Alors toute la vie est gâtée si les meilleurs des camarades se sont fait cette image de moi, et s'il est devenu un scandale que je pilote sur les lignes après le crime que j'ai fait en écrivant Vol de Nuit. *Tu sais, moi qui n'aimais pas les histoires !*

Ne va pas à l'hôtel. Installe-toi dans mon appartement, il est à toi. Moi, je vais travailler à la campagne dans quatre ou cinq jours. Tu seras comme chez toi et tu auras le téléphone, ce qui est plus commode. Mais peut-être refuseras-tu ! Et peut-être faudra-t-il m'avouer que j'ai perdu même la meilleure de mes amitiés.

SAINT-EXUPÉRY,

5, rue de Chanaleilles.
Tél. INV. 62-90.

Il fallut attendre quatre ans après le Prix Fémina pour que Saint-Exupéry fût de nouveau attaché à la plus importante des compagnies françaises de navigation aérienne, sans mission définie, et avec une petite mensualité. Il fallut attendre son séjour en Amérique, pour qu'on s'aperçût, par l'audience que Saint-Exupéry avait conquise, de l'ambassadeur que nous avions, en sa personne, à l'étranger.

Il fallut enfin attendre sa disparition pour que les pouvoirs publics comprissent que nous venions de perdre un des plus grands hommes de ce temps, après qu'il nous eut jeté au visage cette injure qu'il nous faut tous essuyer, dans le repentir de ne pas l'avoir assez aimé : « Si je suis tué en guerre, je m'en moque bien... »

Oui, lorsque je considère Saint-Exupéry dans l'étrange silence qui s'est fait en moi depuis sa disparition; lorsque, enfin coupé du bavardage et même de cette immense rumeur de mer nocturne qui monte vers lui, j'interroge son masque muet pour tenter de percevoir le message qu'il m'adresse, et que je dois entendre, je crois en saisir le double thème. Le premier, de création : Saint-Exupéry nous a ouvert le ciel, exactement comme Melville et comme Conrad nous ont donné la mer. Le second, de morale : Saint-Exupéry est un héros de notre temps. Il en est d'autres, bien sûr; il en est qui ont peut-être accompli davantage. Il n'en est pas, en tout cas, qui aient accepté le risque de mort avec une conscience plus claire et qui fût en même temps plus affirmée dans l'espoir de l'homme.

Il n'en est pas non plus qui pouvaient

perdre autant dans l'ordre des biens temporels, car ce n'était pas seulement la vie que jouait Saint-Exupéry, mais une vie que transformait une gloire durement acquise.

I

La mer existait, bien sûr, avant Melville et avant Conrad. Depuis des millions d'années, les hommes naviguaient, en même temps qu'ils essayaient de décrire ce qu'ils faisaient. Mais nul n'y était arrivé que par hasard et imparfaitement. Nul n'avait écrit une œuvre entière sur la mer. Nul n'avait tiré de cet instrument gigantesque le chant qui pouvait toucher les hommes. La mer était semblable à un violon que personne ne savait faire chanter. Et voici qu'en Pologne, pour ne parler que de Conrad, un enfant ouvre un livre français consacré aux aventures de la marine du Premier Empire et que la vocation de la mer naît en lui. Voici que Joseph Conrad quitte son pays et s'enrôle à dix-huit ans sur des navires, et voici qu'il écrit, en anglais, après avoir longuement balancé entre l'anglais et le français. Et ce que personne n'a su dire, en Angleterre et en France, ce fils et ce petit-fils de terriens qui n'ont jamais vu la mer le fait jaillir de son âme : l'instrument chante.

Car un navire, les voiles serrées sur ses vergues brassées carré, et qui se reflète de la pomme du mât à la ligne de flottaison, sur la surface unie et étincelante d'un port fermé, semble vraiment au regard d'un marin la plus parfaite peinture du repos dans le sommeil. La levée de votre ancre était une bruyante opération, à bord d'un navire marchand de naguère, un bruit inspirant, joyeux, comme si, en même temps que cet emblème d'espérance, chacun des hommes de l'équipage s'attendait à retirer du sein des profondeurs ses espérances personnelles à portée de la main... Et ce bruit, cette agitation au moment du départ du navire forme un étonnant contraste avec les moments silencieux de son arrivée sur une rade étrangère, quand, dépouillé de ses voiles, il avance vers le mouillage désigné, la toile lâche battant doucement dans la mâture au-dessus des têtes des hommes debout sur le pont, tandis que le capitaine garde le regard fixé devant lui, de la coupée arrière. Graduellement, il perd de son erre, presque immobile, et les trois silhouettes sur l'avant attendent attentivement près du bossoir de capon le dernier ordre d'une traversée qui a duré peut-être quatre-vingt-dix jours[1]...

Aurions-nous eu un second Conrad si Saint-Exupéry n'avait pas obtenu une note éliminatoire en français au concours de l'École navale ? Peut-être. Et cependant il me semble que Saint-Exupéry se fût très tôt détaché de la mer pour le ciel qui l'aspirait. En tout cas, personne avant lui, j'en demande pardon à tous ceux qui s'étaient attelés à la même tâche sans avoir reçu le don de son génie et de sa pureté, personne avant lui n'avait su imprimer à notre âme cette vibration qui

1. *Le Miroir de la Mer.*

accélère le battement de notre sang dès les premières pages de *Vol de Nuit*, comme si nous étions les premiers à pénétrer avec lui dans le royaume convoité depuis le commencement, comme si le désir millénaire, enfin accompli, nous montait à la tête et nouait notre gorge, et qu'il n'y eût pas assez d'images pour faire éclater nos yeux.

Les collines, sous l'avion, creusaient déjà leur sillage d'ombre dans l'or du soir. Les plaines devenaient lumineuses, mais d'une inusable lumière : dans ce pays, elles n'en finissent pas de rendre leur or, de même qu'après l'hiver, elles n'en finissent pas de rendre leur neige.

Et le pilote Fabien, qui ramenait de l'extrême sud vers Buenos Aires le courrier de Patagonie, reconnaissait l'approche du soir aux mêmes signes que les eaux d'un port : à ce calme, à ces rides légères qu'à peine dessinaient de tranquilles nuages. Il entrait dans une rade immense et bienheureuse.

Il eût pu croire aussi, dans ce calme, faire une lente promenade, presque comme un berger. Les bergers de Patagonie vont, sans se presser, d'un troupeau à l'autre : il allait d'une ville à l'autre; il était le berger des petites villes. Toutes les deux heures, il en rencontrait qui venaient boire au bord des fleuves ou qui broutaient leur plaine.

Quelquefois, après cent kilomètres de steppes plus inhabitées que la mer, il croisait une ferme perdue, et qui semblait emporter en arrière, dans une houle de prairies, sa charge de vies humaines, alors il saluait des ailes ce navire.

Et encore :

Pourtant la nuit montait, pareille à une fumée sombre, et déjà comblait les vallées. On ne distinguait plus celles-ci des plaines. Déjà pourtant s'éclairaient les villages, et leurs constellations se répondaient. Et lui aussi, du doigt, faisait cligner ses feux de position, répondait aux villages. La terre était tendue d'appels lumineux, chaque maison allumant son étoile, face à l'immense nuit, ainsi qu'on tourne un phare vers la mer. Tout ce qui couvrait une vie humaine déjà scintillait. Fabien admirait que l'entrée dans la nuit se fît cette fois, comme une entrée en rade, lente et belle.

Sans l'avion, qu'eût été Saint-Exupéry ? Un écrivain, bien sûr, est-on tenté de répondre. Nul n'en sait rien. Conrad s'étonnait d'être devenu écrivain, et il assurait qu'il le devait à la mer. Je crois plutôt que si l'avion n'avait pas existé, Saint-Exupéry l'eût inventé. A ce garçon épris de connaître et de s'éprouver, l'avion ouvrait la virginité du ciel, de ses neiges, de ses cyclones, de sa nuit redoutable et quasi sacrée. Il provoquait le choc créateur. Il hâtait l'épanouissement de l'âme. Pour la première fois depuis Conrad, et avec une prédestination aussi mystérieuse, la planète fournissait seulement la substance de l'aventure, elle se livrait sans retenue, elle célébrait ses noces avec l'homme qu'elle avait choisi. Il n'y a d'équivalent à *Typhon* de Conrad que les pages où Saint-Exupéry raconte son combat avec le cyclone de Patagonie.

On le voit, les personnages principaux de Saint-Exupéry sont le ciel et l'homme, comme ceux de Conrad l'homme et la mer. Mais c'est parce que l'homme assiste à la révélation du mystère que nous sommes émus et nous reconnaissons en ıi. On avait bien essayé avant *Vol de Nuit* de nous montrer des gens travaillant, combattant et mourant dans les machines volantes, ou à cause d'elles, et nous n'avions rien éprouvé. Nous n'avions pas enfourché leurs angoisses et leurs joies, nous n'avions pas escaladé le ciel en croupe derrière eux. Avec Saint-Exupéry, le miracle opère. Un pilote nous fait partager ses états d'âme, exactement comme les capitaines de Conrad. L'expérience de ces deux écrivains commence et s'achève en eux-mêmes, et ils ont su donner à leur œuvre la forme d'un poème dramatique dédié à la jeunesse et au courage.

C'est là que repose la réussite de Saint-Exupéry. De *Vol de Nuit* à *Terre des Hommes*, elle ne cesse de s'affermir. Quand la guerre éclate, Saint-Exupéry est dans sa quarantième année, puisqu'il est né avec le siècle. Il abandonne sa carrière de journaliste et de pilote de raid et se fait affecter au groupe aérien de reconnaissance 2/33 où il combat. Mais l'armistice le rejette dans la nation humiliée.

Il écrit *Pilote de Guerre*, où il tire le
leçons du sacrifice et de la foi, et part
pour l'Amérique, où sa gloire porte soudain, au-delà des mers, une autre leçon : celle de la mission spirituelle de la France.

II

ET pourtant, Saint-Exupéry, au comble même de sa gloire, n'est pas heureux. C'est que son pays vit alors sous l'oppression. Il a passé l'âge de combattre autrement que par l'esprit. Son pays d'ailleurs ne lui demande pas de reprendre les armes. Au contraire, ses amis tremblent que le désir ne lui en vienne, comme ils tremblent à la seule pensée qu'il veuille encore piloter, même un avion de transport. Il a tant de fois failli mourir qu'on voudrait qu'il s'épargne. Il n'a plus le droit de risquer inutilement sa vie.

C'est là que chaque mot prend un

sens très lourd. Nous pensons qu'il n'a plus le droit de risquer inutilement sa vie. Que signifie cet « inutilement » ? Qu'entendons-nous par là ? Où le risque commencera-t-il à devenir inutile ? « N'essayez pas d'expliquer à un Mermoz, qui plonge vers le versant chilien des Andes, avec sa victoire dans le cœur, a écrit Saint-Exupéry en 1939, qu'il s'est trompé, qu'une lettre de marchand peut-être ne valait pas le risque de la vie, Mermoz rira de vous. La vérité, c'est l'homme qui est né en lui quand il passait les Andes. »

Mais admettons-nous qu'un risque en apparence inutile puisse devenir pour Saint-Exupéry nécessaire ? S'il veut risquer sa vie, s'il veut même la risquer inutilement, au nom de quoi pourrait-on l'en empêcher ? Au nom de quoi pourrait-il reconnaître ces droits sur lui ? Au nom de quoi oserait-on attenter à la liberté d'un homme ?

En 1943, quelques-uns de mes proches essayèrent de me dissuader d'accomplir le dessein que j'avais de m'engager dans la R.A.F. On voulait que je continue, comme je l'avais fait un temps, d'enseigner dans les écoles militaires. A bout d'arguments, on me dit avec une assurance qui prenait racine dans je ne sais quels marécages : « Tu n'as pas le droit de t'exposer inutilement. » Encore n'étais-je rien qu'un officier obscur, tandis que Saint-Exupéry marchait parmi nous avec l'auréole des hommes illustres. Quelles sont donc ces raisons qui poussent à entraver les pas de ceux qu'on aime dès qu'ils tentent d'échapper ? L'affection qu'on leur porte, bien sûr, l'idée que nous avions, pour Saint-Exupéry, qu'il était nécessaire au monde; le désir de leur épargner la souffrance et la mort. Mais aussi, d'autres motifs moins nobles, assurément, comme celui de la jalousie, ou cet autre, d'abriter notre propre peur et notre calcul derrière la peur et le calcul de complices qui pourraient devenir des témoins.

Pour les vrais amis de Saint-Exupéry, il ne s'agissait que de l'aider, la mort dans l'âme, dans sa détermination.

Certes, il était nécessaire au monde. Certes, comme les pèlerins d'Emmaüs, maintenant qu'il nous a quittés, nous sentons combien notre cœur était chaud quand il nous parlait autrefois. Mais qui pourrait affirmer avec une certitude absolue que sa présence aurait apporté aux hommes une plus haute et plus durable leçon que sa mort ? Qui pourrait jurer que sa vie eût gardé, jusqu'au bout, la pureté de cette mort, qui lui a épargné jusqu'à son funèbre apparat pour l'enfoncer d'un seul coup dans la légende qu'il avait annoncée ? De tout cela il était seul juge.

Mais pourquoi, en fin de compte, a-t-il voulu cela ? Pas la mort, bien sûr (encore que T.-E. Lawrence assure qu'après trente ans, quatre-vingt-dix-neuf pour cent des hommes l'acceptent de gaieté de cœur), mais le risque de mort ? Il est bon, peut-être, de se le demander, puisqu'en littérature le but suprême est de durer. D'Alain Fournier, de Psichari, ou d'Apollinaire, je ne crois pas qu'on puisse dire qu'ils aient voulu la guerre, et qu'ils l'eussent violée, si l'âge les avait écartés de ses embrassements. C'est ici que s'impose à moi l'idée de comparer la fin de

Saint-Exupéry à la fin d'un autre pilote anglais, mort à vingt-trois ans, après avoir écrit un livre qui devait le rendre célèbre, je veux parler de Richard Hillary, l'auteur de *la Dernière Victoire*.

Hillary non plus n'était plus forcé de voler. Il avait été abattu dans la Manche en 1939, pendant la bataille d'Angleterre, à bord de son *Spitfire*, après avoir descendu cinq avions allemands. Repêché par miracle et atrocement brûlé, il avait passé trois ans dans les hôpitaux. En guise de mains, il n'avait plus que des crochets, et, cependant, il avait voulu reprendre du service actif et n'avait triomphé des épreuves d'aptitude physique qu'en trichant. On avait dû allonger quelques leviers du poste de pilotage pour qu'il pût les saisir, et il devait voler avec un mécanicien qui l'aidait à manœuvrer certaines manettes. Le froid entamait ses paupières artificielles et la peau transparente de son visage. L'altitude l'oppressait. Il avait perdu plusieurs fois connaissance pendant ses premiers vols de réentraînement de nuit. Or, malgré son infirmité, il avait redemandé de voler.

Quand j'arrivai en Grande-Bretagne, en 1943, Hillary était déjà mort. Même dans les bases de la R.A.F., on ne le connaissait pas plus que tant d'autres jeunes pilotes qui s'étaient tués comme lui. On eût dit que la gloire de son livre s'arrêtait aux barrières des aérodromes. Pourtant je les lui fis franchir, et dans notre chambrée d'exilés, où les capitaines mettaient les lits des aspirants en portefeuille, on commença de le traduire, quand la pluie battait les vitres de la baraque, et que le soir nous rassemblait autour des poêles devant lesquels nous nous serrions les uns contre les autres, comme des bêtes inquiètes.

Dans le même temps, parut dans la revue *Horizon* une étude de M. Arthur Koestler sur Hillary[1]. Elle était d'un anglais difficile et nous peinâmes beaucoup pour la comprendre. Mais j'étais anxieux de connaître, autrement que par l'image, qui était pourtant celle d'un archange, l'âme de ce jeune étudiant d'Oxford que rien n'avait préparé à de-

1. Reprise depuis dans *le Yogi et le Commissaire* (Charlot, édit.).

venir un héros, et qui, désabusé, dégagé de toute obligation envers son pays, avait voulu revenir dans la R.A.F. et y était mort. C'est d'ailleurs ce que se demandait M. Koestler, tout au long des pages qu'il lui avait consacrées. Et c'est parce qu'il me semble que nous comprendrons peut-être mieux par lui pourquoi Saint-Exupéry est lui-même revenu au groupe 2/33, que je vais m'attarder un peu à Richard Hillary.

Ce n'étaient pas, en tout cas, les lieux communs du patriotisme qui avaient poussé Hillary à reprendre du service. « Ce n'était pas, écrivait-il à un ami, dans l'espoir de faire comprendre à la prochaine génération que, si nous étions stupides, nous ne l'étions pas entièrement, et que nous nous souvenions bien qu'on avait vu tout cela dans la dernière guerre (« tout cela », c'est-à-dire la patrie et la chevalerie de l'air), mais que c'est malgré cela et non à cause de cela, que nous étions persuadés qu'il valait encore la peine de se battre cette fois-ci. »

« Cela n'explique pas grand-chose,

avouait M. Koestler, sauf l'expression « malgré cela et non à cause de cela ». Le patriotisme ironique, cette attitude de chevalier sceptique, de croisé hérétique, sont des formes aussi particulières du climat moral de la guerre d'aujourd'hui que les histoires sur le Kaiser à la dernière. » Et dans une autre lettre que Richard Hillary avait préfacée de ces mots : « A l'hôpital, au lit, en colère », on pouvait lire : « L'humanité est une plaisanterie. C'est la première chose à comprendre si l'on veut combattre pour elle. On n'en tire aucun profit, et si l'on ne trouve pas que la vertu porte en soi sa propre récompense, il faut être assez humain pour en rire. Sinon, que Dieu nous aide ! »

Voilà, semble-t-il déjà, qui sépare assez distinctement Hillary de Saint-Exupéry. Car il est évident que ce n'est pas un patriotisme étroit qui a jeté dans la guerre l'auteur de *Terre des Hommes*. Je veux dire que c'est une certaine France qu'il aimait, celle qui ne limite jamais ses dons, celle qui ne croit pas qu'elle est seule au monde, celle qui respecte la tradition de travailler et de combattre, quand il le faut, pour autre chose que des intérêts temporels. C'est en ce sens qu'il était en avance sur Hillary. Mais Hillary n'avait guère que vingt ans quand il écrivait ces lignes. A cet âge, on peut croire que l'humanité est une plaisanterie. Et on peut le croire aussi à tous les âges, lorsqu'elle a failli vous tuer et que vous êtes infirme et défiguré pour la vie. En revanche, toute l'œuvre de Saint-Exupéry nous aide à comprendre comment il voyait l'humanité, et, dans cette œuvre, un texte moins connu dont j'ai déjà cité une phrase : un reportage de *Paris-Soir* qui nous révèle du moins pourquoi il a voulu combattre.

On avait envoyé Saint-Exupéry chez les Républicains espagnols, à une époque où, sans emploi et criblé de dettes, il cherchait à gagner un peu d'argent dans le journalisme, et il en était revenu avec une longue exhortation à la paix. Il ne donnait tort ni aux uns ni aux autres; il comprenait les Rouges, mais il comprenait aussi ceux d'en face. En Espagne comme en Amérique en 1941, comme en Afrique en 1943, il ne pouvait prendre parti. Il aimait trop les hommes pour condamner certains d'entre eux.

Le passage le plus émouvant de ce document est sans doute celui où la patrouille rouge, partie de nuit reconnaître les lignes adverses, atteint l'endroit d'où, quelquefois, ces hommes qui parlent la même langue et qui peuvent être du même village, s'interpellent d'une tranchée à l'autre. Saint-Exupéry pousse le jeu un peu plus loin, et, pour mieux s'identifier à lui, donne même au héros son propre prénom :

Je crois l'entendre, celui qui a pris en main la manœuvre, et qui nous groupe sous sa responsabilité, comme l'homme de barre; celui qui devient notre ambassadeur d'avoir su faire parler Antonio. Je le vois qui, se haussant de tout son buste au-dessus du mur, les mains pesant, grandes ouvertes, sur les pierres, lance à toute volée la question fondamentale .

— Antonio ! Pour quel idéal te bats-tu ?

N'en doutez pas, ils s'excuseraient en-

core, dans leur pudeur . « Nous faisons là de l'ironie... » Ils le croiront plus tard s'ils s'emploient à traduire, dans leur pauvre langage, des mouvements qu'il n'est point de langage pour traduire. Les mouvements d'un homme qui est en nous, et sur le point de s'éveiller. Mais il faut qu'un effort le délivre.

Ce soldat qui attend le choc en retour, je prétends, j'ai vu son regard, qu'il s'ouvre à la réponse de toute son âme, comme l'on s'ouvre à l'eau du puits du désert. Et le voilà, ce message tronqué, cette confidence rongée par cinq secondes de voyage comme une inscription par les siècles .

— ... Espagne !

Puis j'entends .

— ... Toi.

Je suppose qu'il interroge à son tour celui de là-bas. On lui répond. J'entends jeter cette grande réponse .

— ... Le pain de nos frères !

Et tout rentre dans le silence. Sans doute, en face, n'ont-ils saisi, comme nous, que des mots épars. La conversation échangée, le fruit d'une heure de marche, de dangers et d'efforts, le voici. Il ne manque rien. Le voici, tel qu'il a été balancé par les échos sous les étoiles . « Idéal... Espagne... Pain de nos frères. »

Alors, l'heure étant venue, la patrouille s'est remise en marche. Elle a commencé cette plongée vers le village du rendez-vous. Car, en face, la même patrouille, gouvernée par les mêmes nécessités, s'enfonce vers le même abîme. Sous l'apparence de mots divers, ces deux équipes ont crié les mêmes vérités... Mais une si haute communion n'exclut pas de mourir ensemble.

Cela explique déjà que Saint-Exupéry ait accepté la guerre. Cela n'explique pas qu'il y soit retourné.

III

D'AMÉRIQUE, à la fin de 1942, un message de lui nous avait atteints, que les journaux d'Afrique du Nord avaient reproduit en partie : « La France n'est plus que silence. Elle est perdue quelque part dans la nuit, tous feux éteints, comme un navire. Son esprit et son âme ont été absorbés dans son être physique. Nous ne connaîtrons même pas les noms des otages qui, demain, tomberont devant les fusils allemands. » Le message était sombre. C'était un message de nuit, de nuit longue et profonde où l'aube semblait avoir fait naufrage.

La rage de l'impatience nous dévorait. Des rives du désert, nos escadrilles remontaient une à une vers le nord et, peu à peu, le bruit des armes devenait plus distinct, recouvrait l'âpre bruit des voix féroces qui tentaient d'unir l'action des hommes et des soldats autour d'un nom. En mai 1943, juste après la victoire de Tunis, mon escadrille finissait d'user ses avions à Laghouat. Pour entrer dans la bataille, nous attendions d'autres machines qui n'arrivaient pas, et il fallait chaque matin chercher en nous de quoi nourrir le feu de l'espérance dont nos âmes avaient besoin. Mais dans ce désert, il n'y avait que des brindilles. Il semblait que nous étions attelés à quelque œuvre gigantesque d'autodestruction, où l'unité de temps était le siècle. Et nous étions des hommes, des nomades, et les plus éphémères des êtres, et le temps qui échappait de nos mains vides, comme le sable de ces dunes, nous broyait sous sa meule.

Mes pilotes hochaient la tête en silence quand je leur rabâchais obstinément les rengaines de mon espérance et de ma foi.

C'était une foi qui dépassait les générations et qui, parce que toute raison devenait dérision, atteignait l'utopie. C'était la foi du nomade qui croit à la vérité de la mer au cœur d'une étendue aride si longue à traverser qu'il est à peu près sûr de n'en pas voir la fin. Pour que chaque pas pût être accompli contre la raison, il fallait feindre d'aller à la rencontre de la raison, promettre le miracle pour le lendemain, et croire à la réalité du miracle sans croire à sa manifestation prochaine. C'était un jeu qui épuisait. Je maudissais souvent de moi-même la part fidèle, et je rejetais une espérance qui n'avait de fondement que sur une foi déraisonnable. Nous attendions, comme la génération sceptique qui exigeait des signes, et à qui il n'en était pas donné. Puérilement, nous appelions la fin des épreuves.

J'occupais alors, à l'*Hôtel Transatlantique* de Laghouat, un petit appartement de deux pièces. La première chambre, qu'il fallait traverser pour entrer dans la mienne, comme pour en sortir, était vide. Un soir, je venais à peine de m'endormir (la lumière électrique fournie par la génératrice de l'oasis était coupée à onze heures), qu'un bruit de pas et de voix m'éveilla. Je compris qu'on installait un camarade près de moi. Je reconnus l'une des voix, mais l'autre, sourde et brève, me fit tressaillir. Je l'avais entendue deux ans plus tôt. Je la retrouvai subitement dans ma mémoire : ce ne pouvait être que celle de Saint-Exupéry. Mon voisin demeura seul, ouvrit des valises, fit couler l'eau dans le lavabo, puis le lit geignit longuement sous son poids. De l'autre côté de la cloison, celui en qui j'avais deviné Saint-Exupéry souffla et gémit un peu. Il craqua une allumette et l'odeur douceâtre du tabac américain m'arriva.

Le lendemain matin, je frappai à la porte de communication et j'entrai prudemment en m'excusant. C'était bien Saint-Exupéry, déjà éveillé, à demi assis dans son lit, la cigarette aux lèvres, ses yeux d'oiseau de nuit tout écarquillés de pensée. Il était un peu interloqué de mon intrusion qu'il expliquait mal, et moi-même je n'osais lui parler. Sa chambre étroite était encombrée de belles valises béantes, de linge fin, et, sur la cheminée, il avait déposé un petit réchaud à alcool solidifié sur lequel il avait fait du thé. Je bredouillai, fis quelques gestes et m'éclipsai, le laissant abasourdi. Saint-Exupéry était revenu parmi nous.

Dès lors, l'espérance prit en moi une assise plus solide. Le message d'Amérique se chargeait d'un sens singulier. Saint-Exupéry ne se contentait pas de lancer un message sur des ondes, il venait le signer. C'était un de ces hommes qui ne croient à la vertu des mots que lorsqu'ils y engagent leur vie en otage. Il n'y avait pas chez lui de ces nuances dont les grands écrivains s'ennuagent quand il s'agit de ménager l'avenir de leur plume. Il demandait qu'on prît à la lettre ce qu'il écrivait et qu'il tenait pour rien si l'action n'apportait pas aux mots sa rigueur. Sans doute est-ce là ce qui caractérise le mieux l'homme qu'il fut, toujours solidaire des autres, écartant tout ce qui pouvait être considéré par lui comme un régime de faveur, et, pour tout dire, ne voulant pas de la seule force de l'écriture quand l'action ne fournit pas la preuve.

A cette époque, je réfléchis à tout cela sans lui en faire part pour ne pas l'effaroucher, et par une timidité que je regrette maintenant. Pour l'attirer à moi, je n'avais qu'une mince plaquette de poèmes qui avaient vu le jour un an plus tôt, et qui s'appelaient *Trois Prières pour des Pilotes*. Je ne pensais pas que ce fût une raison suffisante pour entrer dans son commerce. Ce n'était pas par la littérature que je voulais le toucher à ce moment-là (il le fut cependant, par un acte de sa générosité naturelle), mais par le fait que j'étais, dans le présent de l'épreuve, devenu son camarade d'arme, puisque j'appartenais à l'escadrille voisine de la sienne.

Tout le monde eut conscience du secours dont il venait de nous épauler. Au commandement de l'oasis, on était moins honoré de la présence d'un écrivain de réputation mondiale que déconcerté et secrètement scandalisé de voir un tel personnage, bien plus volumineux qu'on ne le croyait encore, s'engager dans une aventure où il risquait de tout perdre, quand on ne songeait qu'à tout sauvegarder; mais les pilotes et les mécaniciens, qui étaient, de loin, ceux qui connaissaient le moins bien son œuvre consacrée pourtant à la gloire de leur métier, enracinaient leur foi dans la terre riche qu'il apportait, avec l'aura qui l'accompagnait. Car tout, en lui, dépassait l'ordinaire des images et des conditions : son nom de chevalier du Saint-Graal, son visage, son corps, son allure à la fois pesante et mal assurée sur la planète, cette impression d'être traqué, ou d'avoir perdu tout sentiment de la réalité qu'il me donnait à certains moments, par exemple quand il cherchait la porte de sa chambre sur une cloison où elle n'était pas. Il était fagoté dans d'étranges vêtements qui tenaient du complet civil et de l'uniforme d'*Air France*, mais qui rappelaient mal celui de l'armée de l'Air : la rosette de sa Légion d'honneur chavirait sur son ruban rouge, la palme de sa croix de guerre bâillait; sa casquette surtout, qu'il avait dû commander à un tailleur américain avant d'embarquer, semblait toujours sur le point de se diviser en trois parties nettement distinctes et mal liées entre elles : la couronne au triple galon d'or, la visière et la coiffe.

Son retour était donc un acte de fidélité à soi-même où il marquait encore, comme dans *Pilote de Guerre*, sa résolution de ne pas limiter son combat au spirituel. Il est vrai de dire que c'était d'abord pour la France un combat spirituel; mais en périssant, la France perdrait avec son âme toute sa substance terrestre et charnelle, et Saint-Exupéry jetait dans l'acte de guerre l'enjeu de son corps, c'est-à-dire tout ce qui jouissait à travers son âme d'une certaine métaphysique du bonheur et de l'humanité. Il refusait de n'être qu'un témoin : « Que suis-je si je ne participe pas ? »

Il avait dédié *Pilote de Guerre* à ses camarades du groupe 2/33, avec qui il avait fait la campagne 1939-40, et il n'avait jamais perdu le contact avec eux; et c'étaient ces mêmes camarades qu'il était venu rejoindre à Laghouat, ceux-là mêmes dont nous partagions la popote, et qui chantaient avec nous *Le Forban* dont les paroles, certains soirs, nous tordaient le cœur :

Plaisirs, batailles,
Mort ou canaille,
Je ris, je chante et combats tour à tour.

Le lendemain de son arrivée, il s'installa au poste de pilotage d'un avion. Le soir, pour célébrer ses retrouvailles, il offrit un « méchoui » à son escadrille et fit des tours de cartes. Nous ne fûmes pas de la fête car nous n'étions pas de ses proches, et nous en éprouvâmes une peine secrète.

En eût-il le sentiment ? Quelques jours plus tard, comme je descendais de la terrasse de l'hôtel par une échelle dont le pied reposait sur le dôme du hall comme sur la demi-sphère d'un globe terrestre, il était là, qui m'attendait, le nez en l'air. Et moi, j'eus tout à coup l'impression de ressembler à l'allumeur de réverbères du *Petit Prince* qu'il avait ramené avec lui, dans l'édition de New York. Nous entrâmes dans sa chambre et, pesant sur le lit de toute sa masse, son regard d'oiseau de nuit cloué au plafond, aspirant avidement la fumée de ses cigarettes, il me dit, après un long silence, son angoisse. Il ne voulait pas avouer son désespoir, mais il souffrait dans son âme et dans sa chair du mal de la France. Il brûlait pour elle de la fièvre de ne pas pouvoir lui porter secours sur-le-champ, alors qu'elle étouffait, mais il incarnait dans la France tout ce qui pouvait faire de la terre une patrie, et, dans l'oppression, tous les ennemis de l'humanité.

Il me sembla, dès lors, que la *Lettre à un otage* dont je ne connaissais que des extraits, et que *Le Petit Prince* entraient dans ce même profond désespoir. Je venais aussi de lire *Pilote de Guerre* que Saint-Exupéry avait écrit deux ans plus tôt et qu'il avait ramené dans ses bagages. Ce livre-là sauvait l'espoir; Saint-Exupéry l'avait achevé en Amérique, encore tout chaud de son propre combat dans le ciel et sur la terre de la patrie; tandis que la *Lettre à un otage* et *Le Petit Prince* se refermaient sur la nuit. A son tour, Saint-Exupéry entrait dans la nuit des temps présents, bien claire encore auprès de celle qu'il devinait pour l'avenir. Tout ce qu'il chérissait et qui donnait du prix à la vie était menacé de périr, et il acceptait de sombrer avec le navire.

C'était le moment où son escadrille échangeait ses Bloch 175 triplaces pour les fameux *Lightnings* monoplaces à double queue, qui étaient les avions les plus rapides de l'heure. On hésitait à lui en confier un à cause de son âge, mais il réussit à renverser tous les obstacles, et on l'inscrivit sur la liste des pilotes à transformer. En attendant le début de l'entraînement, il quitta Laghouat pour aller voir quelques amis, et André Gide, que la victoire de Tunis venait de libérer. Je l'accompagnai au terrain, mais comme le mauvais temps bouchait la route de l'ouest, Saint-Exupéry décida de gagner Alger après une escale à Bou-Saada où il devait laisser un message de service.

Je l'aidai à caser ses bagages dans l'étroite carlingue du Bloch. Il prenait grand soin de la valise bleue qui contenait ses manuscrits, celui notamment du livre en forme de conte des « Mille et Une Nuits », dont il me dit qu'il avait déjà écrit mille pages. Saint-Exupéry avait l'intention d'y travailler dix ans et d'en consacrer trois ou quatre à le revoir, une fois achevé. A l'époque, il l'avait baptisé *La Citadelle*. Jusqu'au pied de l'avion, nous parlâmes de l'écriture et du style, à propos d'un récit dont je lui avais demandé de lire les épreuves. Quand vint le moment du départ, on le pressa dans le sac d'une combinaison, on lui fit choisir un casque, on le ficela dans un harnais de parachute et on l'installa dans la carlingue. Dès lors, il fut bien séparé de nous. Au poste de pilotage, son visage avait dépouillé son apparence terrestre pour se charger d'une espèce de vertu surnaturelle; aux commandes de l'avion qui vibrait et grondait, il était soudain devenu un dieu, et le plus puissant de tous,

Jupiter tonnant, l'œil sur le monde et la main sur ses foudres.

On enleva les cales et l'escadrille vint se ranger le long de l'aire de départ, comme une haie d'honneur, pour assister à son décollage en bordure de la palmeraie. Car les distractions de Saint-Exupéry n'étaient pas moins légendaires que ses exploits : il oubliait souvent de rentrer ou de sortir le train d'atterrissage ou les volets d'intrados, et c'étaient là des incidents bien anodins auprès de ceux dont, par plaisanterie, on menaçait toujours ses passagers. Celui-ci, par exemple : un jour, ayant totalement perdu conscience de la réalité, presque aussitôt après le décollage, et constatant, à son éveil, que sa montre était arrêtée, Saint-Exupéry, affolé, se croyant en l'air depuis des heures, ne sachant plus où il était et craignant de tomber en panne d'essence d'un instant à l'autre, se posait en campagne dix minutes après son départ.

Ce jour-là, tout se passa bien. A nos yeux, du moins. Son avion mit cap au nord et disparut, et l'escadrille se dispersa, un peu dépitée. Quelques minutes après, pour échapper à la tristesse d'avoir quitté Saint-Exupéry, je sautai dans un *Simoun* pour aller déjeuner avec des camarades à Bou-Saada, et peut-être l'y rejoindre. A mon arrivée au-dessus de l'aérodrome, je vis un avion couché au bout de la piste, le train d'atterrissage brisé. C'était celui de Saint-Exupéry, sans Saint-Exupéry, déjà reparti pour Alger à bord d'un avion de liaison.

IV

C'EST à Alger que je le retrouvai, en octobre 1943, inquiet. L'unité politique nationale lui valait des angoisses, qui labouraient son front de rides profondes. Il refusait de jouir en paix de sa gloire reconnue et de l'existence facile, à la fois féconde et désenchantée qu'il aurait pu mener en attendant, comme tant d'autres, que la Libération se fît sans lui. Parfois, on le surprenait, arrêté au bord d'un trottoir, entouré de petits cireurs émerveillés. Il déchirait une feuille de papier de son calepin, la pliait en tous sens, et déposait sur le sol un petit avion que le premier souffle de vent enlevait. Il oubliait ses rendez-vous, et on devait le tirer de son bain, où il passait des heures à lire ou à rêver. Puis, lorsqu'il eut, tout au début de l'entraînement, cassé un *Lightning*, on décida brutalement qu'il était trop vieux pour piloter de pareilles machines, et on l'arracha à son escadrille.

Voici donc Saint-Exupéry interdit de vol. Il n'a plus qu'à se soumettre. Combien d'autres eussent accepté ce contretemps en y reconnaissant l'autorité maternelle de la main qui écarte, malgré soi, du danger !

Voici donc Saint-Exupéry en proie aux faux amis qui l'adjurent encore de ne plus courir de risques inutiles. Mais les vrais l'aident à mener son aventure jusqu'au bout.

Le colonel Chassin le conduisit jusqu'à Naples, à la recherche d'un général américain qu'ils mettent huit jours à toucher, et qui accorde enfin la faveur demandée de cinq missions de guerre. Pourtant, le colonel Chassin a lu *Pilote de Guerre*. Il y a retenu cette phrase terrible :

'ai engagé ma chair dans l'aventure. oute ma chair. Et je l'ai engagée per-ante. » Mais il interviendra plus tard, quand Saint-Exupéry aura depuis longtemps épuisé ces cinq missions et les aura dépassées. D'autres que lui interviendront alors, qui sont ses vrais amis, mais aussi des pilotes, qui auraient agi comme lui. Comme on sait qu'il restera sourd à toutes les prières, on usera d'un subterfuge : au retour de sa prochaine mission, on lui montrera les plans du débarquement qui va avoir lieu dans quelques jours, et il devra rester au sol, comme tous ceux qui sont dans le secret, pour ne pas risquer de tomber dans les mains de l'ennemi. Au retour de sa prochaine mission...

Le moment est donc venu de pousser plus loin nos questions, comme M. Koestler pousse les siennes, pour savoir pourquoi Hillary a voulu revoler. Hillary venait de lire, de T. E. Lawrence, *The Mint*, ce livre dont Lawrence parle longuement dans ses *Lettres*, et qui n'est

pas encore publié. On sait seulement q
Lawrence y décrit le martyre de so
incorporation dans la R.A.F. et de s
vie en commun avec les jeunes recrues.
Et cependant, Lawrence avait respiré là une sorte de camaraderie et de bonheur jusqu'alors refusés. « C'est pour trouver cela, au moins autant que pour autre chose, que je suis revenu... » écrit Hillary. Et cependant, poursuit-il, « ce camp entièrement froid et désert me rend malheureux; non seulement il n'y a ni arbre, ni maison, mais aucun contact humain... Les deux premières nuits, je me suis glissé dans ma baraque et j'ai pleuré comme un enfant, à ma grande surprise, car je croyais m'être endurci... Je pense à la théorie de K..., qui dit que l'espoir de la fraternité est toujours une quête chimérique. Ce soir, je suis presque convaincu qu'il a raison. Mais je refuse d'y croire, car c'est justement pour trouver cette fraternité que je suis revenu... »

Le 29 juillet 1944, le colonel Chassin rencontre Saint-Exupéry à Alger. Il lui conseille de s'arrêter. Il peut l'oser maintenant. En trois mois, Saint-Exupéry ait huit missions de reconnaissance otographique au-dessus de la France, utant que ses camarades en un an. « C'est impossible, répond Saint-Exupéry, je resterai avec mes camarades jusqu'au bout... » C'est à cette époque que j'attendais en Grande-Bretagne une réponse à des lettres que je lui écrivais de camps lugubres qui ressemblaient à ceux de Richard Hillary, jusqu'au jour d'août 1944 où j'appris sa disparition. C'était bien là sa réponse essentielle.

V

Si l'on accepte la définition que Bernanos, je crois, a donnée du héros, d'un homme qui préfère, au moins une fois dans sa vie, la mort au déshonneur, on peut prononcer le mot sans peur, comme en se moquant du sourire qu'il provoque : Hillary et Saint-Exupéry sont des héros. Mais en France, il faut aussi l'avouer, le mot choque. Non que nous ayons du mépris pour le héros. Nous l'admirons, au contraire. Mais parce que nous sommes une vieille nation, riche de la gloire des armes, et qui sait de quoi cette gloire est faite, nous éprouvons cette pudeur maternelle ou fraternelle qui pose sur le héros un regard attendri, mais nous empêche de l'écraser sous la louange. Nous avons tellement de héros dans l'histoire de nos malheurs et de nos victoires que nous préférerions à présent éviter que nos fils en deviennent à leur tour, et supprimer les guerres. Il convient donc de trouver un autre mot, et de dire, par exemple, que Saint-Exupéry est un chevalier.

Je crois à la chevalerie. J'y croirai tant qu'il y aura des hommes et des guerres. Tant qu'il y aura, du moins, des guerres qui permettront aux hommes l'exercice de la chevalerie.

Ce ne sont pas les chevaliers qui provoquent les guerres. Ils s'y jettent les premiers, comme jadis, pour défendre gratuitement la cause de leur foi. Non par amour de la guerre, mais par amour de ce que la guerre leur permet de tirer d'eux-mêmes. En échange, ils n'attendent rien, que la paix et le salut de leur âme.

Aujourd'hui où les croisades n'ont plus de croix, que reste-t-il, en plus de leur morale, qui distingue les chevaliers des autres hommes ? Leur arme d'abord, c'est-à-dire leur métier de soldat, et la machine qui les précipite au combat. C'est l'arme qui fait le chevalier. Je veux dire qu'il n'y a pas de chevaliers « dans le civil », sinon les « chevaliers d'industrie », qui ne manquent pas. On ne consacre pas un chevalier comme un prêtre. On l'arme. On frappe ses épaules du plat d'une épée. Maintenant les épées sont accrochées au musée des Invalides, et n'ont plus qu'une valeur de symbole.

Des chevaliers à pied, certes, il s'en est trouvé et il s'en trouve encore. Mais le chevalier éprouve une telle hâte à affronter l'ennemi qu'il a besoin d'une monture pour le porter à ses devants. Il n'attend pas. Il est la fleur de la bataille, l'aigrette ensanglantée qui flotte au-dessus de la mêlée. La masse est nécessaire aussi, autant que lui. Plus méritante et plus sainte que lui, peut-être ? Là n'est pas la question. Ce n'est pas la sainteté qui fait le chevalier, mais l'ardeur. Sans lui, la multitude devient inerte; elle n'est plus qu'un poids mort.

A présent, il est dans la tourelle des chars ou dans la carlingue des avions. Personne ne pourra me soupçonner de vouloir grapiller quelque parcelle de la gloire des aviateurs. Je me suis posé trop de questions qui ont attiédi ma foi; je me suis laissé escorter par trop de démons. Et puis, j'étais bombardier, et notre combat n'avait rien de chevaleresque, parce que nous ne nous attaquions pas toujours aux armées de l'adversaire. Les seuls chevaliers parmi les pilotes sont ceux qui peuvent mener un combat singulier; en général, donc, ils sont chasseurs, ou, comme Saint-Exupéry, pilotes de reconnaissance, seuls à bord.

Chez eux, le rapprochement est hallucinant. On aide le pilote à revêtir son équipement de bataille. A présent, on lui fait enfiler une combinaison qui comprime son ventre et ses artères pendant les variations d'accélération; on charge ses épaules du harnais du parachute; on l'installe à son poste où on l'attache. Puis on verrouille sur sa tête le toit de l'habitacle, comme la visière d'un casque moyenâgeux. C'est ainsi qu'autrefois, j'imagine, on hissait le chevalier en selle, après l'avoir bouclé dans son armure. Immobile, il n'est rien qu'une lourde masse de métal prête à s'embourber, mais il s'ébranle et, peu à peu, la vitesse le place dans son élément. Ses canons prêts à claquer à ses flancs, il s'élance enfin en poussant un long hennissement d'impatience, et jaillit de terre comme un javelot qui n'atteindra son but qu'au bout d'une longue mathématique céleste. Son royaume n'est pas de ce monde.

Lorsque je pense aux derniers chevaliers qui nous restent, je sais que Saint-Exupéry est le plus grand. Mais beaucoup d'autres noms me viennent à l'esprit. Et je m'arrête encore à ces deux prédestinés de grande race, que la mort serre dans ses bras depuis la dernière guerre. Du premier, Richard Hillary, je ne suis pas sûr qu'il soit un chevalier, comme je ne suis pas sûr que T. E. Lawrence en soit un. Hillary me déconcerte parce qu'il n'a pas la foi. Mais il a l'espérance, de trouver enfin le Saint Graal. Il appartenait à cette poignée de garçons (et Dieu sait s'ils auraient ri à la pensée qu'ils étaient des héros), qui se jetèrent au-devant des escadres ennemies pendant la bataille de Grande-Bretagne. Comme les personnages de l'Iliade, sous les murs de Troie, ils défiaient leurs adversaires avant le combat, avant de se ruer furieusement sur eux, et lorsque les chargeurs de leurs mitrailleuses étaient vides, ils passaient parmi eux, à contre-courant, en les saluant ironiquement de la main. Je crois que l'aveu même de T. E. Lawrence peut être attribué à Richard Hillary : « La guerre avait cela de bon qu'elle tendait au-dessus de nos secrets abîmes le brûlant et superficiel désir de faire ou de gagner quelque chose. » Il s'agit là des guerres qu'ils ont connues tous les deux. Mais le chevalier a-t-il même besoin de foi ? Après tout, je ne pense pas. Est-ce la foi qui compte seule, ou l'acte de foi sans la foi ne suffit-il pas ?

Saint - Exupéry n'avait nul besoin , comme Hillary, de chercher le Saint-Graal. Il l'avait trouvé depuis longtemps. Et pas dans la guerre. La guerre, il l'a toujours haïe. Pour lui, ce n'est qu'un ersatz d'aventure. C'est en cela qu'il faut plaindre Hillary, non pas de s'y être laissé prendre (il n'était pas dupe), mais de n'avoir eu, comme tant d'autres, que la guerre pour aventure.

En 1939, Saint-Exupéry commençait ainsi ce reportage que j'ai largement cité : « Nous vivons dans le malaise. Nous avons choisi de sauver la Paix. Mais en sauvant la Paix, nous avons mutilé des amis. Et sans doute beaucoup parmi nous étaient disposés à risquer leur vie pour les devoirs de l'amitié. Ceux-là connaissent une sorte de honte. Car ils auraient alors sacrifié l'homme : ils auraient accepté l'irréparable éboulement des bibliothèques, des cathédrales, des laboratoires d'Europe. Ils auraient accepté les ruines des traditions, ils auraient accepté de changer le monde en nuage de cendres. »

Voilà pourquoi Saint-Exupéry ne voulut pas de la guerre comme aventure. Mais qu'est-ce que l'aventure ? Peut-être peut-on répondre que c'est d'abord le risque. Aimer l'aventure, c'est donc d'abord aimer le risque. Quel risque et dans quel but ? Cela est plus compliqué encore, parce que, à peine posé, le problème s'ouvre et se perd dans le gouffre du ciel, de la mer et du désert. Car enfin, qu'est-ce qu'une aventure où le chercheur d'or, le libérateur, le corsaire, l'aviateur ou le poète refuseraient de courir en même temps cet autre risque, de tous le plus terrible, de se connaître ainsi soi-même et de se trouver tout à coup devant le néant ? Et si, faute de mieux, la guerre menait au même point d'où l'on surplombe les abîmes ?

En tout cas, c'est par les devoirs d'amitié pour lesquels on risque sa vie, que Richard Hillary et Saint-Exupéry se rejoignent. Ce sont les devoirs d'amitié qui font de Saint-Exupéry un chevalier errant qui saute à vingt ans dans un avion qu'il ne sait pas piloter, puis est engagé, quelques années après, par la Société Latécoère, devient chef d'escale à Juby, défriche les premières lignes de Patagonie, essaie des hydravions à Saint-Raphaël, écrit ses livres et ses reportages, et enfin entre en guerre, comme en religion. C'est à sauver des camarades, à les chanter et à les suivre, qu'il a passé sa vie. Et c'est pour cela qu'il est mort. Après avoir retrouvé Guillaumet dans la Cordillère des Andes, Saint-Exupéry fut surpris d'entendre Guillaumet lui dire : « Je te voyais et tu ne me voyais pas... » « Comment savais-tu que c'était moi ? » lui demanda Saint-Exupéry avec étonnement, car de nombreux avions avaient survolé le massif montagneux, et comment Guillaumet pouvait-il reconnaître parmi eux l'avion de Saint-Exupéry ? Eh bien, il y avait un signe qui ne trompait pas, et qui n'appartenait qu'à Saint-Exupéry : le mépris du risque pour mieux découvrir un pilote perdu dans les glaciers. « Personne, répondit Guillaumet, personne n'aurait osé voler si bas. »

Voilà pourquoi Saint-Exupéry était revenu au 2/33. Son secret serait si facile à percer si nous avions le cœur pur. On a entouré son retour au combat de mystère. On a voulu recouvrir d'ombre sa mort, comme s'il n'avait pas mis toute sa vie à expliquer clairement, et comme s'il n'avait pas écrit toute son œuvre pour la justifier. « Le métier de témoin m'a toujours fait horreur. Que suis-je si je ne participe pas ? J'ai besoin, pour être, de participer. Je me nourris de la qualité des camarades, cette qualité qui s'ignore, parce qu'elle se fout bien d'elle-même, et non par humilité... » Et encore : (la mission que je viens de faire) « me donne un peu plus le droit de m'asseoir à (la) table (de mes camarades) et de me taire avec eux. Ce droit-là s'achète très cher. Mais il vaut très cher : c'est le droit d'être. » C'est aussi pour tenter de confondre les derniers sceptiques que je suis allé un peu loin dans mes recherches, et que j'ai choisi ce rapprochement avec Hillary, parti pourtant d'une région si désespérée, pour rejoindre Saint-Exupéry au même point, devant la porte du sombre royaume qui est aussi la porte des illuminations.

Lorsque, la tête et le cœur lourds, mal à l'aise dans la baraque où dorment déjà des camarades, Saint-Exupéry jette quelques lignes sur un carnet avant de s'étendre sur un lit de camp, il souffre de sa misère d'homme de guerre. Mais, plus heureux que Richard Hillary, qui ne peut rejoindre que des morts, il rejoint par là une autre misère plus profonde que la sienne, et qui en coule comme d'un lac. Il ne se reconnaît pas le droit de se reposer tant que cette misère-là ne sera pas guérie. Il a peut-être la bouche amère, à la pensée de la mission qu'il fera le lendemain, et, sur la petite table de bois blanc, à la lumière crue de l'ampoule électrique, il écrit des mots d'une étrange gravité : « Si je suis tué en guerre, je m'en moque bien... » C'est qu'il hait de toutes ses forces le monde moderne, parce qu'il aime éperdument tout ce dont nous sommes de plus en plus privés : la substance d'âme qui enrichit les actes des hommes et jusqu'à leur mort.

Là encore, il n'aime ni ne hait à la manière de ceux qui condamnent ou excitent de loin les combattants, en ayant garde d'y engager le petit doigt. Tout ce qu'il a écrit l'oblige. Il n'y a pas chez lui de séparation entre l'homme et l'œuvre. Il ne donne pas des leçons de morale pour s'effacer ensuite. Il ne se contente pas, comme ceux qu'il compare à des pots de confiture, de rester sur l'étagère. Ce monde qu'il hait, il veut le connaître et le tenter. La guerre dévore les hommes, et Saint-Exupéry veut affronter le monstre pour pouvoir parler de sa férocité ou de son indulgence. Le moment était venu pour lui de risquer une fois de plus, avec sa gloire, son espace vide de bonheur et sa vie, ce qui le liait aux hommes. Non plus comme autrefois, dans l'aventure qui lui gonflait le cœur quand il transformait les pillards en amis ou qu'il partait à la recherche de camarades perdus, mais dans les barrages des canons, au-dessus d'Arras ou de la Côte d'Azur, c'est-à-dire dans le jeu que mènent les meilleurs lorsque le sort de leur pays en dépend. Si les meilleurs sont pauvres, et s'il n'y a plus grand-chose de commun entre eux et Lancelot, qu'importe ! Il reste au moins le bien le plus vulgaire du danger accepté.

Oui, Monseigneur, c'est de ce buisson, le danger, que je cueille cette fleur, la sécurité de mon âme.

Et parce que c'était la seule valeur qui eût échappé, Saint-Exupéry la réclame, et la préfère à toutes les missions faciles qu'on lui offre, et qu'il refuse. Appelons cette force comme nous voulons. C'est celle-là et pas une autre qui lui donna le courage de poser la tête entre les mâchoires de la bête. Peut-être était-il sans pouvoir sur elle parce qu'il avait livré l'essentiel de son message. Peut-être est-ce pour cela que la bête a refermé la gueule sur lui. Mais, sûrement, c'est à cause de cela aussi, qu'un homme a pu réussir d'être admiré pour son génie et aimé pour lui-même.

MORT DE SAINT-EXUPÉRY[1]

1. Écrit en 1963.

« JUREZ de dire la vérité, levez la main droite... » Inutile de nourrir des illusions : aucun témoin ne la dira toute. Les uns parce que leur mémoire brouille tout, ou n'a rien retenu : il y a dix-neuf ans de cela, et personne n'a rien écrit sur le moment. Les autres parce qu'ils n'oseront pas, devant les caméras de la télévision ou le stylo des enquêteurs, toucher si peu que ce soit à la légende qu'on a laissée s'établir, grandir et se développer au point de recouvrir le temps sous une végétation tropicale de divagations et de chromos. A l'époque, la mort d'un pilote ou d'un équipage ne provoquait pas d'enquête. De bonne foi et souvent l'insu des témoins entendus jusqu'à pré sent, chaque déclaration cache quelque chose, ou recouvre le corps du dieu mort d'un suaire qu'on a voulu plus digne de sa gloire.

Le capitaine Gavoille, aujourd'hui général, se croit, sans oser l'avouer, un peu coupable de la mort de Saint-Exupéry parce qu'il n'a pas assisté à son dernier départ. Et pourtant, Gavoille présent, Saint-Exupéry serait quand même parti parce que son nom était inscrit sur la liste des pilotes en alerte. Gavoille le savait et il n'a pas interdit le départ, bien que, la veille, un des pilotes américains de l'escadrille voisine de *Lightnings* ait été abattu à soixante milles du terrain. Là ou ailleurs, la chasse peut surgir, sans qu'on y puisse rien, et même si Gavoille avait eu l'intention d'empêcher Saint-Exupéry de voler, il n'aurait pas résisté à une prière de son ami. Cela ne l'empêche pas, à tort, de se sentir coupable et donc, de ne pas dire toute la vérité. Et moi qui suis un ami de Gavoille, comment l'y forcerais-je ? La femme que Saint-Exupéry avait épousée a su, malgré les instructions contraires de son mari, ce que contenait la mallette de ses manuscrits, et la femme à qui il était attaché n'a pas été assez forte pour le retenir à la vie. Ni l'une ni l'autre ne savent ou ne peuvent tout dire non plus, et il n'est pas sûr que ce qu'elles croient vrai le soit. Il est encore plus difficile de tout dire soi-même. Pourtant, on ne rabaisse pas un homme en rapportant qu'il était homme ou qu'il s'est laissé aller au désespoir. On le grandit, puisqu'il a su transformer les petitesses en grandeur et en or pur le limon de sa chair. Mais, comme dans une énigme policière, le moindre détail retenu ou déguisé rompt le fil conducteur.

Le temple est recouvert, et parfois démantelé, par la forêt au point qu'on n'y retrouve plus les traces des pas du dieu. Où a-t-il prié ? De quelle fenêtre aimait-il regarder le ciel ? Sur quel front ou sur quelle poitrine sa main s'est-elle posée pour la dernière fois ? Quelles pensées l'habitaient quand il a vu venir la fin, et l'a-t-il seulement vu venir ? Et ce portrait, minutieusement retranscrit d'après les témoignages, ne sera-t-il pas, en fin de compte, qu'un portrait robot ?

Ce qui est sûr, c'est qu'il est mort aux commandes d'un *Lightning P 38*, donc sur l'aile même de la foudre[1], comme le Christ sur une croix, en laissant à ses fidèles une règle et un évangile. Pour l'instant, nul ne sait comment il est mort, et tant qu'on n'aura pas retrouvé son corps, son tombeau vide sera le plus beau et le plus vaste de tous : la mer, une montagne, ou le ciel, digne d'un héros ou d'un dieu. Nulle autre sépulture que celle-là n'est à sa mesure.

Pour Saint-Exupéry, tout est plus simple, et la légende qu'on essaie d'ajouter détruit celle qu'il s'est bâtie lui-même de ses mains d'homme. Il est né d'une femme que nous connaissons, il a vécu comme un chevalier errant, il a souffert et il est mort sous Pétain et sous de Gaulle, et si nous ignorons à quoi il a pensé dans les derniers moments et quel cri il a poussé, nous possédons les dernières lettres qu'il ait écrites. Les parures dont

1. Lightning : « éclair » en anglais.

on le charge et les monuments qu'on pourra élever à sa mémoire ne le serviront pas. Seuls demeurent à sa taille ses livres et son exemple, bâtis dans la même roche que lui. Les orages y découperont à travers les siècles des gorges et des pics; des torrents se fraieront un passage à travers lui. L'homme demeure avec son œuvre, tel qu'il fut, massif dominant les eaux et les sables, touché avant les autres par les rayons du soleil, et demeurant encore dans la lumière quand les vallées sont noyées d'ombre; des étoiles se posent, la nuit, sur ses plus hautes crêtes, comme sur un front.

Le 24 juillet 1944, on baptise à La Marsa le fils du capitaine Gavoille : Saint-Exupéry est le parrain, la générale Mast la marraine. Saint-Exupéry offre des cadeaux à toutes les familles du groupe 2/33 restées à Tunis, alors que le personnel navigant et spécialiste constitue une escadrille du 5e groupe américain de reconnaissance photographique à Bastia. Il est heureux. L'atmosphère de Tunis est celle d'une ville épargnée et comblée où la volupté des bains sur les plages tempère la chaleur moite de l'été. On n'y respire pas l'air empoisonné d'Alger, où de Gaulle a refusé de le voir et, apprenant qu'il souffrait d'être tenu à l'écart, a répondu : « Qu'il y reste. Il est juste bon à faire des tours de cartes. » De l'hostilité qu'on lui témoigne parce qu'il prêche la réconciliation entre Français, il souffre hors de mesure. En janvier 1944, il a écrit à une amie : « ... c'est ici pour moi un climat prodigieusement insalubre. Je perds ma vie. Je n'ai jamais eu sensation pareille d'usure sans fruit. Et c'est atroce. D'ailleurs, mon crime est toujours le même. J'ai prouvé aux États-Unis qu'on pouvait être bon français, anti-allemand, anti-naziste et ne pas plébisciter cependant le futur gouvernement de la France par le « parti gaulliste... » Le 30 juillet, il ajoutera à ce même propos : « Leurs phrases m'emmerdent. Leur pompiérisme m'emmerde. Leur ignominie m'emmerde. Leur polémique m'emmerde et je ne comprends rien à leur vertu... La vertu c'est de sauver le patrimoine français en demeurant conservateur de la bibliothèque de

Carpentras. C'est de se promener nu en avion. C'est d'apprendre à lire aux enfants. C'est d'accepter d'être tué en simple charpentier... »

De mon côté, je lui écris, de Grande-Bretagne où nos équipages ont commencé le long entraînement des bombardiers, des lettres qu'il n'a probablement jamais reçues. De notre rencontre à Laghouat, en mai 1943, j'ai gardé un souvenir poignant et passionné. Je tremble aussi pour lui, et je voudrais qu'il m'aime. Mais, à Alger, il y a sûrement quelqu'un en qui il croit et qui s'ingénie à le désespérer, alors qu'on devrait lui répéter matin et soir que c'est lui qui possède, contre tout le monde, la vérité. Je ne sais pas encore qui lui laisse entendre que son hostilité pour de Gaulle constitue un délit majeur. A Tunis, en revanche, il est chéri de tous. Le résident général Mast et sa femme le reçoivent chez eux, et l'entourent d'attentions et d'affection.

Le 24 juillet 1944, venant d'Alger, il arrive à Tunis sur le *P 38* nº 80, un avion *peggy back*, où l'on a aménagé dans le dos du pilote une mauvaise place pour un passager, logé comme un petit cochon. Il emmène avec lui l'adjudant-chef Roussel, chef mécanicien de l'escadrille. Saint-Exupéry est resté à Alger du 21 au 24 juillet. Il a dû y retrouver André Gide. L'humeur gaulliste l'assombrit. Il a rencontré en tout cas le colonel Chassin qui l'a accompagné jusqu'à l'aérodrome, ce jour-là et non le 29 juillet, comme le notera Chassin qui le décrit « gai et heureux ».

Le journal de marche parle de ce voyage à Alger comme si Saint-Exupéry y avait fait un aller et retour, le 21 juillet car il relate aussi un incident qui paraît postérieur à ce déplacement, entre Saint-Exupéry et un officier du génie. Cependant, un détail montrant Saint-Exupéry en pyjama « malgré l'heure tardive » prouve que l'incident est antérieur. Il s'agit donc du matin, où Saint-Exupéry aimait traîner, et non du soir, où chacun restait en *battle-dress* jusqu'au coucher. On relève des inexactitudes de ce genre parce que le journal de marche n'est pas tenu à jour depuis un mois et demi. Ce n'est que le 28 juillet que le capitaine Siegler le lieutenant Jourdan entreprennent régulièrement sa rédaction.

Devant ses amis de Tunis, Saint-Exupéry se laisse aller et redit sa conviction qu'il n'en a plus pour longtemps à vivre parce que le métier de pilote de grande reconnaissance devient trop dur et que la chasse allemande guette les avions à leur retour pour les abattre. Les *Messerschmitt* sont dotés d'une fusée qui leur donne pendant une minute une puissance qui leur permet de fondre sur leur proie. « Un jour je ne reviendrai pas et vous ne me verrez plus... », dit-il à Mme Mast, un peu comme le Christ à ses apôtres, sans amertume et même avec une sorte de coquetterie espiègle, comme son petit prince annonce sa disparition prochaine qui n'est pas un suicide, mais un retour à la patrie. Or, le petit prince, Saint-Exupéry s'identifie peu à peu à lui, transforme le mythe créé par l'esprit en réalité charnelle. Émue, la générale Mast fait part à son mari des sombres pressentiments de Saint-Exupéry. Elle a raison de croire qu'il faut épargner au pays la perte d'un homme comme lui.

Discrètement, le général prend Ga voille à part. Il lui laisse entendre que la fin de la guerre approche et que Saint-Exupéry doit survivre. L'un et l'autre conviennent qu'il en a assez fait et que ce n'est plus sa place de mener ce métier dont la limite d'âge pour les Américains est trente ans. Le jour anniversaire de ses quarante-quatre ans, Saint-Exupéry est revenu à basse altitude, avec un moteur en panne. On lui a donné l'ordre de se poser à Bastia et de ne pas rejoindre Alghero, en Sardaigne, où son escadrille était encore stationnée. Le gâteau qui l'attendait à la popote, on l'a mangé sans lui, et, comme il a oublié d'arrêter sa caméra automatique, on a pu restituer sa route : il a survolé sans le vouloir Turin, Gênes et les aérodromes allemands où on l'a pris, en raison de sa faible vitesse, pour un avion à l'entraînement. De tels risques dépassent ceux qu'on a le droit de lui laisser courir. Le général Mast demande à Gavoille de trouver un subterfuge pour l'arrêter.

— D'accord, répond Gavoille.

Gavoille est un homme modeste et

vrai, comme les aime Saint-Exupéry à qui il rappelle ses camarades de l'aéropostale. La philosophie n'est pas son fort, mais il connaît à fond les avions, le ciel et son métier. A son poste de pilotage, cet artisan devient un finaud seigneur de guerre. En 1940, deux chasseurs allemands se sont écrasés sur des obstacles en essayant de le poursuivre en vol rasant. Saint-Exupéry l'aime pour une autre raison : Gavoillc a choisi la reconnaissance parce qu'il répugne à se servir d'une arme.

Quand Saint-Exupéry est arrivé au 2/33, en 1939, Gavoille le connaît de nom sans avoir jamais lu une ligne de lui. Il se plonge dans ses livres, admire cet intellectuel qui aurait pu rester chez lui et mesure peu à peu l'honneur immense qu'on lui a fait en lui demandant de servir de moniteur à l'auteur de *Terre des Hommes* avant de le lancer sur *Potez* 63 et sur *Bloch* 174. Dans cette armée avare de tendresse, Saint-Exupéry s'attache à Gavoille plus qu'à d'autres officiers, parce que Gavoille incarne à ses yeux une vérité élémentaire : il pilote comme on laboure et réagit en homme simple, avec ses propres ruses, sa connaissance instinctive de la terre, du ciel et de sa charrue; de son côté, il veille sur Saint-Exupéry comme un écuyer sur son chevalier : il prépare ses missions avec lui, l'habille, l'équipe, l'aide à se fourrer au poste de pilotage, fait chauffer ses moteurs, vérifie la pression de ses bouteilles d'oxygène, ses postes radio, lui remet en mémoire les consignes, et le regarde partir comme une mère voit son enfant s'aventurer dans la vie. Avec *Pilote de guerre*, il passe aussi à la postérité. On voudra toujours savoir qui est ce Gavoille dont Saint-Exupéry a dit : « Nous avons failli crever en France de l'intelligence sans substance. Gavoille est. Il aime, déteste, se réjouit, ronchonne. Il est pétri de liens. »

A son retour, en 1943, Saint-Exupéry a retrouvé Gavoille chef d'escadrille et renoué avec lui. Il a ramené dans ses valises *Lettre à un Otage* et *Le Petit Prince*. Les autorisations de reprendre les vols obtenues, Gavoille l'a lâché sur *Lightning P 38*. Trompé une fois par les freins qu'il n'a pas su actionner en pompant les pédales, Saint-Exupéry est sorti du terrain de La Marsa et a caressé un olivier du bout du plan. Les Américains se sont opposés à la poursuite de l'entraînement jusqu'à ce que, se laissant attendrir par les démarches qu'on connaît, ils aient, de nouveau consenti à voir le nom du commandant Antoine de Saint-Exupéry figurer sur la liste des pilotes de l'escadrille française qui participe aux opérations de reconnaissance aérienne avec leur 5e groupe.

Or, Gavoille est inquiet après cette mission du 29 juin où l'auteur de *Courrier Sud* est rentré avec un moteur en panne par la vallée du Pô, qu'on appelle à présent, à l'escadrille, « le Pô d'échappement ». Un soir, à Bastia, voyant de la lumière sous sa porte, Gavoille est entré dans sa chambre. Il était tard et Saint-Exupéry n'écrivait pas comme à son habitude. Étendu tout habillé sur son lit, il fumait, Gavoille essaya de savoir quelle tactique il avait adoptée pour rejoindre le terrain depuis les Alpes avec un moteur en moins. Saint-Exupéry s'embrouilla dans des explications confuses, essaya de cacher les erreurs de navigation qui l'avaient amené à suivre la plaine du Pô à basse altitude et à survoler Gênes où il s'était fait canonner. Que Saint-Exupéry eût échappé ce jour-là aux chasseurs tenait du miracle. Il avouait lui-même qu'il avait fait le dos rond à plusieurs reprises, dans l'attente des rafales qui ne venaient pas. Les hautes altitudes auxquelles il devait voler dans une cabine non pressurisée l'éprouvaient aussi et la moindre panne d'oxygène pouvait provoquer chez lui une embolie et le tuer.

Saint-Exupéry le laissa parler puis lui répondit avec calme qu'il ne pouvait pas supporter l'idée de ne pas continuer. Responsable de ce qu'il avait écrit comme des malheurs que certains de ses lecteurs avaient connus en mettant son enseignement en pratique, il devait rester au combat jusqu'au dernier jour. Il dit à Gavoille qu'il disparaîtrait en mission de guerre, que c'était bien et que ce n'était pas lui qui devait l'en empêcher. Cela s'inscrivait dans son destin personnel et dans un ensemble de calamités mondiales et nationales qu'il n'acceptait plus de supporter. Ce soir-là, le regard perdu dans la fumée de ses cigarettes, les mains sous la nuque, il résuma à Gavoille pourquoi il combattait et pourquoi il n'avait pas peur de la mort. Puis il se leva lourdement, secoua les cendres tombées sur son blouson, prit la mallette en cuir où il serrait ses manuscrits, en indiqua le chiffre secret de la fermeture : 240, et la donna à Gavoille en le chargeant de la remettre après sa mort à une amie qu'il lui désigna.

— Je vous demande ça et le reste comme un grand service. Vous ne pouvez pas me...

Il s'arrêta de parler et se détourna. Il n'avait pas pu dire : « Vous ne pouvez pas me le refuser » parce qu'il pleurait. Cette détresse bouleversa Gavoille et lui arracha des larmes à son tour. Il prit la mallette, et s'en alla, sans savoir très bien ce que tout cela voulait dire. Dans *Le Petit Prince*, on lit : « J'aurai l'air d'avoir mal, j'aurai un peu l'air de mourir... »

Le journal de marche du groupe 2/33 rapporte que Gavoille rentre à Bastia le

26 juillet sur le *Lightning*, n° 63 avec des dragées et des liqueurs fortes, et que Saint-Exupéry le rejoint dans l'après-midi sur le n° 80 après des incidents d'hélices, sans préciser lesquels. Sa dernière mission date du 18 juillet, sur les Alpes, et il reprend sa vie à l'escadrille.

Le matin, vers 7 heures, les pilotes en alerte partent pour le terrain de Borgo. On ne se lève pas tôt car il faut attendre, pour les photos sur la France, que le soleil soit haut. Les pilotes connaissent depuis la veille le numéro d'ordre de priorité qui est le leur. Le pilote qui revient de mission comme celui qui part pour un voyage de liaison ou pour une permission se retrouvent en queue de liste. A son retour, le 26, Saint-Exupéry prend donc le numéro treize car il y a treize pilotes à l'escadrille : le capitaine Gavoille et lui, les capitaines Leleu, Siegler et Lecerf, les lieutenants Core, Brillault, Trémelo, Jourdan et Duriez, les sous-lieutenants Henry, Renoux et Puivif.

Les pilotes déjeunent au terrain, vont quelquefois à la pêche quand la météo sur la France est mauvaise, ou font une partie de boules. Le soir, ils rentrent à la villa transformée en popote et en cantonnement. A table, l'officier le moins ancien lit le menu avec les plaisanteries d'usage. La conversation roule sur la petite ville, les Américains, les filles. On met à l'amende ceux qui parlent service. Il est rare de ne pas recevoir des camarades de passage; alors on sort des bouteilles et on chante. Saint-Exupéry fait des tours de cartes. On rit. On joue au jeu des mots de six lettres. Parfois on triche en envoyant des espions regarder par-dessus l'épaule de l'adversaire. Quand il s'en aperçoit, Saint-Exupéry qui n'aime pas perdre, entre dans des rognes épouvantables, puis reprend sa bonne humeur parmi les collégiens farceurs. Vient le moment de la solitude affrontée avant le sommeil. Saint-Exupéry écrit des lettres ou ajoute à *Citadelle* une page qu'il ira enfermer le lendemain dans la mallette en fibre que Gavoille garde à présent dans sa chambre.

Le 27 juillet, le lieutenant Duriez fait une mission dans la région de Marseille, le lieutenant Henry part pour Alghero l'ancienne base du groupe en Sardaigne, et le capitaine Leleu pour Naples. Saint-Exupéry a donc le numéro 10. Le 28, les nuages empêchent toute sortie de guerre. Le 29, le lieutenant Renoux et le lieutenant Brillault survolent la vallée du Rhône et le Massif central. Saint-Exupéry prend le n° 8. Le 30 juillet, la seule sortie du groupe, après un essai malheureux du capitaine Lecerf dont on sait, de notoriété publique, qu'il n'aime pas voler sur *Lightning*, est celle de Gavoille, au-dessus des Alpes, malgré une météo assez vaseuse. Que Gavoille ait volé ce jour-là prouverait que l'ordre d'urgence n'est pas toujours respecté, du moins par le commandant d'escadrille qui peut exercer là un droit absolu, ou que toutes les indisponibilités des pilotes ne soient pas notées; mais il se peut aussi que Gavoille ait tenu à faire cette mission-là qui avait pris du retard. Le journal de marche place le décollage de Gavoille à 11 heures 30. Cette heure semble exacte, bien que Gavoille écrive dans une lettre officielle que c'est vers 12 heures que Meredith s'est mis en vol de patrouille à côté de lui. La mémoire de Gavoille semble, dans ce cas, défaillante.

A son retour vers 14 heures 30, d'après le journal de marche, ou vers 12 heures, d'après lui, Gavoille revient sur la mer en vol de groupe avec un jeune pilote du 23e squadron stationné aussi à Bastia. Le journal de marche ne fait pas mention de ce détail. D'après Gavoille, ils se reconnaissent à travers le vitrage du poste de pilotage, à quelques mètres l'un de l'autre, aile contre aile, mais ne se parlent pas. Leur poste radio branché sur réception leur permet d'entendre ce qui se passe sur la fréquence des ondes des aérodromes mais ils n'ont pas l'autorisation d'émettre, sauf cas grave ou détresse. Gavoille déclarera par la suite qu'il descend lentement parce qu'il souffre d'une forte sinusite, à moins que ce ne soit pour garder le plus longtemps possible l'altitude qui le met à l'abri des mauvaises rencontres : il a le soleil en face de lui et surveille ses arrières sans difficulté.

Selon le récit de Gavoille, Meredith s'écarte un peu, bat des ailes pour indiquer qu'il reprend sa liberté, dégage sur la gauche et pique sur la côte de Corse déjà visible. Gavoille le suit un moment du regard puis l'abandonne. Quelques minutes plus tard, Gavoille entend brusquement un pilote annoncer qu'il est attaqué. D'après le rapport officiel des services américains, il est 13 heures 14' 30''. Voilà une certitude. L'indicatif laisse entendre qu'il s'agit d'un pilote d'un groupe voisin et la voix claque dans les écouteurs. Pour Gavoille, il n'y a pas de doute; c'est Meredith. *I am getting in !* a-t-il crié subitement. *Je suis foutu...* Sur l'ordre du commandement, Gavoille se déroute vers l'ouest vers le lieu du combat et attend l'arrivée des Spit.

A son atterrissage, Gavoille apprend qu'il s'agit bien du lieutenant Meredith. Or, de tout cela, parlant de Gavoille, le journal de marche note simplement : « Au retour, il entend les appels de détresse de notre ami Meredith abattu par des chasseurs boches, non loin de lui, à 60 milles de la Corse. Les appels cessent bientôt, et les chasseurs alliés, envoyés à la rescousse, ne trouvent hélas, plus rien, lorsqu'ils arrivent sur les lieux, huit minutes plus tard. Les chasseurs semblent devenir plus mordants. Il nous faudra prendre des précautions. »

Le récit serait plus circonstancié si Gavoille avait raconté tout cela sur le moment. Or, personne, à l'escadrille, ne s'en souvient, et l'on peut se demander comment, si entraîné qu'il soit, un pilote souffrant d'une forte sinusite peut voler à 10 000 mètres d'altitude, sur un avion non pressurisé, sans risquer des troubles graves et des douleurs intolérables.

La tradition de l'aviation exige qu'on ne parle pas des morts à table. Après dîner, passent quelques pilotes américains qui logent sous la tente au terrain de Borgo. Pour essayer d'obtenir des renseignements de Gavoille ? Cela n'apparaît pas, comme il n'apparaît pas non plus que Gavoille ait été longuement interrogé par les services de renseignement alliés. « Ils semblent sans espoir pour ce pauvre Meredith... », notent les rédacteurs du journal de marche, car Meredith était un ami de l'escadrille. Ce visage de collégien innocent sous la casquette des officiers de l'U.S. Air Force, que la caméra nous a transmis, c'est peut-être le sien, derrière un vieux berger sarde qui danse sur la table, le 28 mai, à Alghero, où l'auteur de *Pilote de Guerre* avait offert un méchoui de dix moutons. Ce qu'on sait seulement, c'est qu'il a été abattu par surprise par un *Focke Wulf 190*, chien policier accompagnant le *Messerschmitt 109* de reconnaissance qui venait de photographier Ajaccio, et rentrait en France. Meredith, considéré pourtant comme un pilote un peu timoré, ne se méfiait plus, car personne n'avait jamais été attaqué si près des côtes.

Le dernier soir qu'il passe parmi les hommes est, pour Saint-Exupéry, une veillée consacrée au souvenir d'un camarade mort. Il se dit que, pour lui aussi, on ne devra pas être triste; il espère que la présence des invités obligera le popotier à sortir des bouteilles, et que peut-être des sous-lieutenants amèneront autour de la table quelques-unes des filles brunes de l'île. Et si l'une d'elles se souvient de ce chevalier tout cassé de blessures et couturé de cicatrices, sur qui pesaient une armure et un ordre invisible, et dont le cœur brûlait comme une étoile, alors, de la Voie lactée où il sera, il ne désirera plus rien d'une planète qui n'est pas faite pour les princes. Il y a à peine quelques jours que Saint-Exupéry annonçait sa mort prochaine à Gavoille et à la générale Mast. Ce soir-là, il a logiquement le n° 7 ou 8 sur la liste du personnel en alerte; 5 à la rigueur, si des pilotes sont malades, mais pas le n° 1. A moins que d'autres pilotes soient absents. Personne ne s'en souvient, et, après vingt ans, les témoignages se brouillent. Logiquement, si l'on s'en tenait à l'ordre des départs en opérations, et bien que les précisions météo soient excellentes, il pourrait faire la grasse matinée, le lendemain, flâner dans la villa en pyjama comme il en a l'habitude ou aller prendre un bain dans les rochers.

Les règlements laissent moins d'imprévu. Saint-Exupéry a volé, le 31 juillet, parce qu'il figurait sur les ordres. Ce qui bouleverse le tour des départs est simple. Le capitaine Leleu, officier des opérations, a spécialisé ses pilotes sur les différents secteurs, en particulier sur la rive droite et la rive gauche du Rhône. La nature de la mission peut donc faire sauter quelques échelons à un pilote, et c'est ce qui a lieu. La mission dont il s'agit est la même que celle qui fut ratée la veille par Gavoille, parce que le magasin photo s'est déverrouillé en vol, et qu'il faut, pour la septième fois, recommencer : la couverture de certaines zones dans la région comprise entre Lyon, Grenoble, Annecy et Chambéry. Le premier pilote sur le rôle est le commandant de Saint-Exupéry, qui ne s'en plaint pas. Il aime ce coin où il est né et la route qui le fait passer non loin d'Agay. Il ne faut chercher dans sa désignation ni faveur ni intervention : d'ailleurs, la rigueur intellectuelle du capitaine Leleu met hors de cause toute idée de ce genre. Leleu sait trop qu'on s'ingénie à éviter à Saint-Exupéry toute mission supplémentaire pour céder à une prière de ce genre. Quant au dépassement du nombre des cinq missions que Saint-Exupéry aurait été autorisé à faire, Leleu n'a jamais vu paraître la moindre note à ce sujet, sinon le pilote Saint-Exupéry aurait été arrêté de vol avant la sixième. Pour continuer, il aurait dû renoncer à piloter des machines dont la finesse et la complexité exigent une grande jeunesse physique, et se résigner à devenir rouage dans l'ensemble de l'appareil gigantesque qui écrase, jour et nuit, les villes, les usines, les voies de communication et les objectifs militaires du IIIe Reich. Le pilote Antoine de Saint-Exupéry n'est pas mort en fraude et il a choisi sa mort. Hors des troupeaux. Exupéry sait, comme tout le monde, puisque la liste des pilotes en opérations est affichée à la popote et au terrain, qu'il va voler le lendemain et que la météo est belle, et il prépare sagement sa mission comme un écolier. « Comme un caporal-pilote », lui dira un jour, en plaisantant, un de ses camarades.

— Ah ! mon vieux, si j'en loupais une par ma faute, répondra-t-il, imaginez les gorges chaudes qu'on en ferait à Alger...

Ce soir-là, où Meredith fut abattu, Saint-Exupéry ne peut donc pas ne pas penser à sa mort, et il accepte le principe du sacrifice sans récrimination et sans joie, comme nous l'avons tous fait à l'époque. Mais nous manquions de ce dont nous imaginions naïvement qu'il était comblé : la gloire et l'affection. Erreur majeure. S'il possède la gloire, c'est comme un diamant cousu dans ses vêtements à son insu. Nous savons tous qu'il l'a, et, ce diamant, nous le voyons étinceler. Tous sauf lui. Cette célébrité qui le gagne, il y attache peu d'importance, bien plus sensible à la méprisante indifférence du général de Gaulle à son égard qui l'atteint au cœur et dont nous avons souffert aussi puisque le chef de la France Libre n'a pas daigné se déranger une seule fois pour visiter les deux groupes français qui partaient chaque nuit, de Grande-Bretagne, avec les bombardiers lourds de la R.A.F. Composés d'équipages venus d'Afrique du Nord et de l'ancienne armée d'armistice, ces groupes-là devaient apprécier l'honneur qu'on leur accordait de mourir au combat : ils n'ont jamais reçu la grâce d'un message ou d'une attention personnelle. Pour Saint-Exupéry, c'était pire : l'entourage du chef de la France Libre avait interdit la diffusion de *Pilote de guerre* et de *Lettre à un Otage*.

Ce jour-là, Saint-Exupéry écrit deux lettres que leurs destinataires recevront comme un message posthume, et qu'il confie à un officier d'une escadrille voisine de qui le journal de marche ne signale pas le passage. Dans l'une il dit : « Si je suis descendu, je ne regretterai absolument rien ... » Absolument rien ? Même pas une mère ou la bonté des camarades ? Même pas l'amour des femmes ? Même pas les plaisirs de l'été sur les plages ? Dans l'autre : « J'ai déjà failli quatre fois y rester. Cela m'est vertigineusement indifférent... » Vertigineusement indifférent ? Cela n'est possible que si l'on n'aime personne et si personne ne vous aime. Ou qu'on se le figure. Il faut avouer qu'à ce moment de sa vie, où le salut de la patrie assombrit l'horizon au point de lui faire croire que la nuit va tout recouvrir, Saint-Exupéry se croit condamné par ceux qui ont pris en main le destin national. Il ne se suicidera pas parce qu'un pilote ne se suicide pas. Mais, s'il est surpris par des chasseurs, il ne cherchera pas à éviter la mort ? Quelle blague ! Ça non plus, ça ne s'est jamais vu. Il manœuvrera et essaiera d'échapper, comme tout le monde. Non, il ne se suicide pas. Il monte au calvaire après avoir connu l'écœurement, la solitude et les petites trahisons des grands hommes. L'ombre envahit son ciel. Ce jour-là, la mort de Meredith dont l'un des anciens pilotes du 2/33 m'a répété, sans le savoir, un mot de Conrad : « Il était l'un des nôtres », le confirme dans cette idée d'une fatalité tragique.

Pourtant, ce soir-là, il sort. Avec qui ? Personne ne s'en souvient. Il a dû être invité à Bastia, chez des admirateurs anonymes. Quand les capitaines Siegler et Leleu rentrent à la villa, après minuit, la chambre de Saint-Exupéry est vide. Siegler s'en réjouit et dit à Leleu : « S'il n'est pas là, c'est moi qui pars. » Quand on aime son métier, on se joue de ces tours-là entre pilotes. Dès qu'une mission apparaît, on est prêt à faire la cour à la belle, si elle semble délaissée. C'est de bonne guerre. Donc, si, le lendemain, Saint-Exupéry dort, Siegler sera là. Déjà, sous son grand front et ses cheveux couleur de paille, ses yeux pétillent en imaginant la colère enfantine de Saint-Exupéry.

A cette heure-là, le capitaine Kant appelle, d'Avignon, l'état-major de la 2e division de la Luftwaffe à Malcesine, sur le lac de Garde, pour lui signaler qu'un appareil de reconnaissance a été abattu en flammes au-dessus de la mer, près de la Corse. L'officier qui reçoit l'observation s'appelle Hermann Korth. Il prend soin de la noter sur son carnet et de la dater avec précision : 31 juillet 1944. Quand il en fera part, quatre ans plus tard, aux éditions Gallimard, on pourra croire qu'il a situé la chute de Saint-Exupéry. En fait, c'est de celle du lieutenant Gene C. Meredith qu'il s'agit. Deux avions de reconnaissance alliés ne pouvaient pas être abattus au même endroit et à la même heure, si près des côtes de Corse, bourrées de *Spitfires* et de *Thunderbolts* à un jour d'intervalle, par un *Focke Wulf* accompagnant un *Messerschmitt*. Il s'agit bien d'une erreur de date due à la nuit.

Du matin du 31 juillet, les deux témoins principaux devraient être deux capitaines : Gavoille, commandant l'escadrille, et Leleu, chef des opérations. Leleu confirmerait la mission, fixerait l'heure du décollage et le numéro de l'avion : le 223. Ni l'un ni l'autre de ces témoins ne sont encore levés.

A 7 heures, Siegler prenait son petit déjeuner quand Saint-Exupéry a surgi en lui lançant un regard noir qui voulait dire : « Tu voulais me la faucher, salaud... » Siegler s'en souvient encore. Siegler sourit, n'insiste pas et retourne se coucher. Il se dit simplement que Saint-Exupéry n'a pas assez dormi cette nuit-là. Le lieutenant Duriez, adjoint au capitaine Leleu qui se repose, salue le commandant de Saint-Exupéry, échange avec lui quelque propos sur le temps et l'emmène au terrain dans sa jeep. C'est un garçon au visage mince et aquilin et à la voix grave, éperdu d'admiration pour l'auteur de *Terre des Hommes*. Gavoille et Leleu absents, c'est lui qui l'aide à endosser la combinaison chauffante et la mae-west, à fourrer dans ses poches la boîte de rations de survie, la sacoche d'évasion et un revolver de gros calibre, et à accrocher sur sa jambe gauche la petite bouteille d'oxygène portative qui servira au pilote qui se jette en parachute de dix mille mètres à ne pas mourir avant d'atteindre les couches respirables. Attifé de la sorte, Saint-Exupéry ressemble à un énorme bibendum encombré encore de sa planchette écritoire où sont notés les caps, les temps et les repères, et d'où pendent, au bout de leurs ficelles, les crayons et les gommes.

L'avion est prêt. Saint-Exupéry grimpe sur le fuselage et s'installe au poste de pilotage. Duriez ajuste les bretelles de son parachute et de la fixation au siège, lui passe son serre-tête qui lui donne l'air d'une vieille paysanne sous son bonnet, et son laryngophone. Accroupi sur l'aile, à sa gauche, il surveille la mise en route des moteurs, le contrôle de sa radio et de ses caméras et le débit d'oxygène, puis se laisse glisser au sol et revient l'observer. Saint-Exupéry lui paraît aussi préoccupé que d'habitude. Contrairement à ses camarades, et peut-être parce qu'il est très intimidé par lui ou trop pudique à son égard, Duriez ne l'a jamais connu que taciturne et inquiet, sauf dans les rares moments de grâce des tours de cartes.

— *Colgate from Dress down number six, may I taxi and take off ?*

La seule question qu'il soit autorisé à poser au contrôle de piste avant son départ, Saint-Exupéry la prononce difficilement dans un anglais qu'il écorche et enduit d'un accent terrifiant. La réponse arrive, claire et forte dans les écouteurs :

— *O.K. number six. You can taxi and take off.*

Dress down, ça signifie : « A poil. » Ce cul-nu n° 6, c'est le chevalier de Saint-Exupéry partant, bardé de quatre caméras, photographier son pays occupé par l'ennemi, en jetant quelques mots à un seigneur du dentifrice, *Colgate*.

Un signe de la main auquel répond Duriez : les cales sont enlevées, le toit de l'habitacle se verrouille, l'avion roule. A 9 heures, selon le journal de marche, ou à 8 heures 15 selon Duriez, Saint-Exupéry place son *Lightning* sur le point de décollage. Sa main gauche joue avec la double manette des gaz qu'il va pousser pour lancer les moteurs à leur régime de surpuissance, sa main droite tient le volant du manche. Ses pieds posés sur les étriers du palonnier bloquent les freins. Devant lui, les montagnes sombres paraissent flotter sur un bandeau de brume au bout de l'allée de grilles de la piste d'envol. Ce matin d'été où les bergers corses ont mené leurs troupeaux de chèvres dévorer le maquis, quel décor pour la mort d'un héros ! Bien assujetti sur la visée, le *Lightning* vibre. Si c'est une croix, ce *Lightning*, qu'elle est belle !

Le pilote Saint-Exupéry lâche les freins, l'accélération le pousse dans le dos, il décolle, rentre le train et les volets, monte dans le ciel comme une note d'orgue; la mer s'enfonce sous ses ailes, devient un miroir d'azur pâle auquel peu à peu, les marbrures donnent l'apparence du cuir. Le lieutenant Duriez se souvient tout à coup qu'il n'a pas vérifié la bonne marche des génératrices qui chargent les accumulateurs. Il s'en veut encore, bien que ce soit sans importance, car, vingt minutes plus tard, constatant la défaillance de tout le système électrique, Saint-Exupéry aurait dû rentrer à Bastia. Bientôt les côtes d'Europe flottent au-dessus du cap, voisin du nord. Il suffira à Saint-Exupéry d'appuyer sur un bouton pour mettre en marche l'appareil photographique. Avant que les bobines de pellicules aient fini de se dérouler il sera mort. Vingt-cinq minutes après le départ, Saint-Exupéry ajuste son masque à oxygène et ouvre le débit : la première bouffée sent le vernis du Massachussets ou de l'Ohio; puis il tourne le rhéostat du chauffage de sa combinaison, et règle les volets minuscules qui assurent l'avion sur sa trajectoire. En vue des côtes de France, il coupe l'émission automatique qui permet aux radars de le suivre. *Colgate from Dress down number six, I strangle my coquerel*... Ça doit le faire sourire, cette phrase : « J'étrangle mon petit coq. » Le petit coq, d'ailleurs, n'a servi à rien : les radars américains ne l'ont pas entendu.

A dix mille mètres d'altitude et par cinquante degrés de froid, le *Lightning* s'enfonce à six cents kilomètres à l'heure au-dessus du territoire ennemi et ne craint guère que les chasseurs. Pour les guetter, un rétroviseur, que le pilote doit consulter toutes les dix ou quinze secondes, renvoie les images supérieures. Par-dessous, les chasseurs ne peuvent pas rattraper le *Lightning*; ils doivent grimper plus haut et plonger sur lui, mais Leleu a inventé un moyen de déceler leur approche. A l'altitude à laquelle vole le *Lightning*, l'échappement des moteurs provoque des vapeurs qui se transforment en écharpes de glace. D'ordinaire, à cent ou deux cents pieds plus bas, le phénomène ne se produit plus. Leleu conseille donc aux pilotes de naviguer sur cette lisière où le sillage reste invisible. En revanche, si les chasseurs surgissent, ils devront, pour attaquer, monter plus haut que lui, en tirant derrière eux cette traîne de mariée qui dénoncera leur approche et il sera facile de leur échapper. Il suffit donc de choisir correctement son altitude et de surveiller le rétroviseur toutes les quinze secondes. Pratiquement, à dix mille mètres, le *Lightning* est invulnérable. Ce qui est plus dangereux que les chasseurs et que la D.C.A., c'est la panne d'oxygène.

Saint-Exupéry en consomme des quantités effrayantes. En raison de son coffre ou de son rythme respiratoire ? Ou bien ouvre-t-il le débit forcé pour se doper ?

Au terrain de Borgo, Gavoille manifeste d'abord un étonnement sans borne : non que Saint-Exupéry soit parti, car la mission sur les Alpes était prévue et préparée, mais qu'il ait pu partir sans lui; puis l'inquiétude et la contrariété d'une jalousie qui s'ignorait : d'autres que lui ont pu le harnacher et le mettre en selle, et, alors que, depuis sa première arrivée au 2/33, le 3 décembre 1939, Gavoille n'a presque jamais manqué un de ses décollages, Saint-Exupéry ne l'a pas attendu. Une mission à laquelle peut-être Gavoille se serait opposé ? Là, s'il le pense, Gavoille se trompe. Leleu n'aurait jamais offert un tour de faveur, et Gavoille savait, comme tout le monde, que Saint-Exupéry était inscrit sur les ordres. Il ne s'y serait pas plus opposé le matin que la veille, lui qui n'a jamais pu lui refuser quoi que ce soit, et encore moins depuis la nuit où Saint-Exupéry a pleuré devant lui. Il n'y a ni faiblesse chez l'un ni culpabilité chez l'autre. Un remords cependant, et qui hante encore Gavoille : celui de ne pas encore avoir mis à exécution l'accord donné au général Mast de placer Saint-Exupéry à l'écart des opérations en lui confiant le secret du débarquement; mais cette ruse pieuse n'était pas simple à machiner, et Saint-Exupéry lui-même, dès qu'on effleurait le sujet, se bouchait les oreilles, dans la conscience de ce qui se tramait contre lui. Il aurait même pu en vouloir à Gavoille pour cette innocente et généreuse trahison. En aucun cas, Gavoille ne pouvait faillir à sa promesse de le laisser mourir en guerre, mais il ne pouvait pas non plus ne pas se sentir coupable en le sachant parti. Quand il s'agit de quelqu'un aussi indispensable au monde, cela s'appelle une tragédie. Toutes les conditions pour la mort du héros sont remplies et rien ni personne ne peut s'interposer entre la victime et la fatalité.

« On ramène des photographies, a écrit Saint-Exupéry pour *Life* dans un reportage qui a paru après sa disparition, qui passent sous l'analyse stéréoscopique comme des lamelles ensemencées sous le microscope... » Comme les bandes de terre que le soc de la charrue retourne en mettant à nu les profondeurs du sol. Labourer, c'est le verbe qu'on emploie dans la reconnaissance pour définir le métier. Le pilote règle l'intervalle entre chaque photo et déclenche la caméra choisie; il laboure le ciel par lignes droites, sur un cap rigoureux, à vitesse constante et en corrigeant la dérive; chaque photo prise allume un voyant devant le tableau de bord et provoque un grésillement dans les écouteurs. A chaque extrémité du champ céleste, on vire au chronomètre de cent quatre-vingts degrés pour retrouver l'entrée de la bande suivante. Pendant ce travail qui absorde toute l'attention du pilote, Leleu conseille aux pilotes de convertir le demi-tour de chaque fin de bande en un trois quarts de cercle dans le sens opposé qui permet de surveiller tout le ciel.

Pour le laboureur Saint-Exupéry, trop corpulent pour regarder sur les côtés et en arrière, et que ses vieilles blessures font souffrir, c'est donc moins la chasse qui est dangereuse à cette altitude, que la panne d'oxygène. La chasse, il la verra dérouler ses longues écharpes de glace avant d'attaquer. Il lui suffira de larguer ses deux réservoirs supplémentaires et de pousser un peu sur ses manettes de gaz. Le *Lightning* prendra une vitesse que les chasseurs ne rattraperont jamais. D'ailleurs, sur la France, à cette époque, la chasse allemande n'existe presque plus. Ce jour là, en tout cas, dans les rapports officiels, il n'existe pas trace de combats. En revanche, et bien que tout soit prévu pour que cet incident ne se produise pas, si quelques gouttes de vapeur d'eau gèlent dans le circuit d'oxygène, une tuyauterie se bouche ou un clapet se bloque. La conscience du pilote s'échappe peu à peu et l'évanouissement suit.

Quelques semaines plus tôt, le capitaine Leleu rentrait par ciel clair, quand il vit des nuages noirs l'entourer brusquement. Leleu eut du mal à comprendre que le temps ne pouvait pas se gâter si vite et à penser : « C'est que tu ne vois plus... » L'embout de caoutchouc du tube à oxygène avait sauté du masque, et Leleu dut employer les dernières forces qui lui restaient à le réajuster. Un autre pilote, à qui l'oxygène avait manqué subitement, était repassé, comme un automate, quinze fois de suite sur le même point, puis avait erré une heure au ras du sol, avant de rentrer en divaguant. Bien que le manomètre qui indique la pression de la bouteille d'oxygène soit en vue, près du clapet battant, comme une ouïe, à chaque aspiration, des pilotes jeunes et confirmés connaissent la panne. Il arrive aussi que la bouteille se vide si on tire trop dessus à débit forcé. Or Saint-Exupéry avait l'habitude de respirer de l'oxygène dès son départ.

Si les mains pèsent sur le volant du manche au moment de la perte de conscience, le *Lightning* pique, se redresse de lui-même et pique de nouveau. Retrouvant de nouveau les couches d'air respirable, le pilote se réveille et rétablit la situation en sortant ses freins aérodynamiques. Si l'avion continue sur son cap, à la vitesse réduite des prises de vues, il flotte et, sans corrections de gauchissement ou de profondeur, risque de s'engager brutalement en vrille; en trente secondes, il peut percuter les montagnes; le pilote qui s'en aperçoit a besoin d'espace sous ses plans pour arrêter le mouvement giratoire. Sinon, même dans le cas où l'avion ne s'est pas désintégré en vol, il ne restera de la machine et du pilote qu'une poussière de débris au sol.

Sur l'aérodrome de Borgo, à midi, Gavoille, que l'inquiétude et la colère agitent, arpente le terrain en tous sens. Sa fièvre gagne peu à peu la salle d'opérations et les ateliers. Le *Lightning* n° 223 devrait apparaître bientôt, et le ciel reste vide. A 13 heures, on téléphone aux radars, qui ne l'ont identifié ni à l'aller ni au retour, et aux autres terrains de Corse. Le commandement est alerté. A 14 heures 30, ses provisions d'essence épuisées, Saint-Exupéry ne peut plus tenir l'air. Jusqu'à présent, un miracle l'a toujours sauvé : il est peut-être prisonnier et la guerre va finir; mais les recherches postérieures établiront qu'il n'y a pas eu de combats de chasse ce jour-là. Un dernier espoir subsiste : il s'est peut-être posé en Suisse ou dans le maquis savoyard. S'est-il abîmé en mer, par accident, près des côtes de Marseille qu'il survolait en vol rasant, comme le laisse supposer, vingt-trois ans plus tard, un témoin, l'officier allemand du génie Erick Herot, qui a vu un avion allié exploser sur les flots ? Cela expliquerait que les radars ne l'aient pas suivi. Le soir, le commandant Antoine de Saint-Exupéry, du 5e groupe de reconnaissance photographique, est officiellement porté disparu en opérations.

De lui il reste quelques vêtements dans sa chambre et, dans celle de Gavoille, une petite valise en fibre qui contient le lourd manuscrit de *Citadelle*. Les autres objets qu'on exposera plus tard dans les musées sont aussi faux que les reliques des saints dans les églises. Le lendemain matin, les escadres de *Thunderbolts* partent en expédition punitive et annoncent à leur retour soixante-dix avions détruits au sol ou en vol. L'après-midi, les pilotes de l'escadrille de Gavoille vont chercher des filles et danser sur une plage. Dans l'aviation, on célèbre toujours la chute des camarades en pensant à eux devant ce qu'ils aimaient : les joyeuses tablées et le sourire des femmes. Pour Saint-Exupéry, qui a fêté ainsi beaucoup de camarades morts, sa légende commence à conquérir le monde. On aura beau fouiller les Alpes pour retrouver sa trace. La terre est son tombeau, que le ciel couronne d'astres.

TABLE